*Эта книга научит тебя*

*программировать других*

# Дмитрий Верищагин

# ВЛИЯНИЕ

Система навыков дальнейшего
энергоинформационного развития
*III ступень*

Санкт-Петербург
«Невский проспект»
2002

ББК 53.54
В 26
УДК 615.83

**Верищагин Д. С.**

В 26    Влияние: Система навыков дальнейшего энерго-
        информационного развития, III ступень. — СПб.: «Невский
        проспект», 2002. — 187 с. (Сер.: Система ДЭИР)
        ISBN 5-8378-0005-0

Предлагаемая автором книги система ДЭИР (Дальнейшего
энергоинформационного развития) — это целостная система достижения гармонии и здоровья. Разрабатываемая в рамках секретных
программ по особому заказу высшего партийного руководства нашей страны в конце восьмидесятых годов, она основана на мето-
диках сознательного управления энергетическими потоками.

Эта книга расскажет о том, как превратить окружающих вас
людей из врагов — в союзников и друзей при помощи приемов
программирования.

ISBN 5-8378-0005-0

# Общее напутствие

Открывая эту книгу, вы получаете шанс навсегда изменить свою жизнь, вступив на новую ступень эволюции. Вам откроются истинные причины здоровья, болезни, поступков и человеческой судьбы.

Вы станете свободными от влияния великих энергетических паразитов, правящих остальными людьми и толкающих их на самоубийственные поступки. Помните, что вы не должны причинять непродвинувшимся людям вреда. Отнеситесь к ним со вниманием и помогите.

Для вас будут доступны вещи, немыслимые для обычных людей. Не растрачивайте свои силы понапрасну в погоне за суетными достижениями. У вас великая цель — открытие нового мира и поиск своего места в нем.

Вы обретете способность исцелять, и этот дар придет к каждому своим путем. Употребите его во благо. Помогайте бескорыстно.

Ваша душа пройдет процесс укрепления, и вы сможете вести за собой других людей. Принесите им свет и радость, а не тьму и боль.

Вы перестанете зависеть от кармы и кармических болезней. Помогите достигнуть того же другим.

Вы будете владеть истинным инструментом изменения мира — верой. Пусть ваша вера принесет добро не только вам.

Чтобы пройти весь путь до конца, вам может потребоваться помощь. Обретите ее в таких же, как вы, путниках. Узнавайте друг друга в толпе. Учитесь друг у друга. Помните друг друга.

Взойдя на новую ступень развития, вы будете частью нового энергетического единства, единства свободных людей. Оказывайте друг другу поддержку. Помните друг о друге и делитесь друг с другом энергией, потому что цена свободы велика и подчас не под силу одному.

Помните о нас, кто первыми вступили в новый мир. Мы фокусируем новое энергетическое единство для вас. Обращайтесь к нам в трудную минуту, и мы придем на помощь. Обращайтесь к нам в минуту благоденствия, и мы сможем прийти на помощь миллионам других. Смерти нет. Мы отзовемся и из-за грани.

Ощутите связь со мной, автором этих строк. Я жду этого. Просите о помощи и помогайте мне.

Прибавьте к свету нового энергетического единства свои лучи.

Создайте новое свободное человечество. Вы заслуживаете этого.

Мы с вами прекрасно знаем, что в нашей жизни не существует ничего дороже времени — потому что, даже имея неограниченные возможности, можно чего-то не успеть. Мы уже преодолели свою зависимость от патологических энергоинформационных связей — великих паразитических сущностей, довлеющих над остальным человечеством, стали властны над собственной энергетикой и способны избежать формирования в себе негативных энергетических связей. Это огромные достижения, и их значение преувеличить просто невозможно. Мы не на словах, а на деле вернули себе восприятие высшего мира энергий и восстановили свои способности к действию в этом мире. Мы получили доступ к тем рычагам, которые держат в руках высшие сущности — и сам Бог в том числе. Мы уже только этим радикально отличаемся от большинства представителей рода человеческого, порабощенного низшими формами полевой жизни. Мы независимы от ниток, которые управляют остальными людьми, словно марионетками. Но окончательно ли мы свободны? Давайте разберемся.

Чего мы достигли? Мы научились (это перечисление будет полезно для тех, кто предыдущие, настоятельно рекомендуемые книги еще не прочел и на курсах ДЭИР не занимался) следующему: видеть и ощущать энергетические потоки; проводить диагностику; управлять центральными потоками собственной энергии, от которых зависит все функционирование нашего тела; избавляться от сознательных и бессознательных атак со стороны, а именно: порчи, сглаза, программирования и от вызванных этими воздействиями болезней; узнали природу энергоинформационных паразитов, использующих человечество в собственных, чуждых ему целях, и научились чувствовать их присутствие; сумели сформировать оболочку, навсегда отключающую нас от этих паразитов, и, таким образом, сделали все от нас зависящее, чтобы дать возможность сработать естественным силам организма, стремящимся сохранить здоровье; мы научились полностью контролировать собственное энергетическое существо; мы владеем программами на здоровье, на уверенность в себе, на удачу, на исцеление и активно пользуемся ими; мы не нарабатываем более нежелательной кармы и защищены от кармических болезней; перед нами уже открылись новые горизонты...

Мы здоровы, мы властны над собой, мы встали на новую ступень эволюции и двигаемся дальше, мы можем помочь ближнему — не так, как один калека помогает другому, но как старший брат помогает младшему... Чего же более? Чего не хватает?

Не хватает свободы от обстоятельств. Говоря коротко, мы сами не зависим от подспудного управления энергетическими паразитами, но по-прежнему зависим от проявлений материального мира, и в том числе от наших соплеменников. И с этим ничего не поделать. По крайней мере до тех пор, пока мы находимся в вещественном теле. Это как с дачей — если она есть, она может сгореть, протечь, ее могут ограбить, к тому же продукты на нее завозить летом тоже придется. Точно так же мы зависим от окружающих нас людей — как свободных, так и управляемых паразитическими сущностями. Нам нужны деньги, признание, возможности и результаты совместных действий. Но это не означает, что мы должны играть в игру по чужим правилам и выполнять все требуемые другими кунштюки — во-первых, потому, что это пустая трата времени (ну зачем, к примеру, в исполкоме полчаса нервничать и препираться с хамом, если вам всего-то нужно быстро получить справку?), а во-вторых, потому, что нас, как людей независимых, марионетки энергоинформационных паразитов довольно часто атакуют и стараются чинить нам всяческие препятствия (примерно как гаишник, который бесконечно будет тянуть резину, если видит, что водитель торопится). Следовательно, мы должны научиться защищаться. Даже не защищаться — это слишком громкое слово, а просто управлять.

Это достаточно легко — особенно для вас. Вы, овладев методиками первых двух ступеней ДЭИР по материалам предыдущих книг, настолько больше можете и воспринимаете по сравнению с обыкновенным человеком, что без труда способны модифицировать его поведение. Вас можно уподобить зрячему в стране слепых, ходячему в стране инвалидов или образованному человеку, попавшему в племя к первобытным дикарям. Да, они могут быть сильнее. Но сила человека в разуме, понимании и способности предвидеть события, а не в мускулах. Разум легко побеждает грубую силу — точно так же и вы, вооруженные вашими новыми возможностями, будете мимоходом, сами того не замечая, устранять все препятствия на своем пути. Ваши цели высоки, потому что это цели свободного человека, и вы не должны зависеть от глупых и, если разобраться, смешных препятствий и бессмысленной суеты. Нужно только научиться некоторым простейшим приемам — а в дальнейшем все будет абсолютно автоматически совершаться по вашему желанию.

# Глава 1

# Актуальность. Принципы взаимодействия с окружающими и пути управления их поведением

## НЕОБХОДИМОСТЬ УПРАВЛЕНИЯ

Как известно, проблема зависимости человека от своего окружения актуальна была всегда. Кто только из философов, психологов, писателей не пытался ее решить! Сколько трудов было написано, только чтобы помочь человеку научиться решать свои проблемы в этой сфере и не создавать новые! Помогало ли все это? В общем и целом — нет.

Потому что проблема эта вечная, и в ее решении, как и в любви, можно надеяться только на себя. Сами себя вы можете совершенствовать сколько угодно. Это, разумеется, еще никому не повредило, но так как в реальном мире вы живете не одни и все в нем зависит не только от вас, то все ваши попытки внести изменения в свое окружение могут оказаться тщетными, если вы не умеете на это окружение определенным образом воздействовать.

Перед любым мыслящим человеком всегда вставал вопрос о том, почему ему так часто приходится становиться жертвой окружающей действительности. Ведь трудно не согласиться с тем, что большая часть людей, отчетливо сознающих свои жизненные приоритеты, делают все возможное, чтобы самореализоваться в этом мире как личность: достичь своих целей, осуществить задуманные планы в самых различных жизненных сферах, удовлетворить наиболее важные духовные потребности. Именно это в конечном итоге и сводится к понятию счастья. И если уж нам не дано всегда пребывать в этом состоянии, то, естественно, хотелось бы, чтобы эти радостные минуты снисходили на нас почаще.

Мы, в полном соответствии с полученным воспитанием, уже как данность принимаем представление о том, что таких минут в жизни каждого человека просто не может быть много — лишь бы они не исчезли совсем: ведь тогда просто не захочется жить. Мы просчитываем в нашей жизни каждый шаг: получаем образование, стараемся не совершать неправильных поступков, в глубине души веря в то, что если не потакать злу, то оно нас и не настигнет; учимся любить и быть любимыми, стремимся сохранить молодость, красоту, здоровье. Мы еще много чего делаем для обретения счастья — всего не перечислишь. Но вот только теперь зададим сами себе вопрос: что мы имеем в конечном итоге? Как часто все наши желания и помыслы реализуются и приносят нам радость? Ведь, казалось бы, они вовсе не беспочвенны: мы достаточно хорошо знаем, чего хотим.

Мы все заканчиваем школу, прилагаем колоссальные усилия для получения выбранной специальности, надеемся на успешную карьеру. Но когда, кажется, все самое трудное уже позади, нас почему-то не принимают на интересующую нас работу. Мы оказываемся без работы и, естественно, без денег. Результат — затянувшаяся депрессия и жалобы на жизнь.

Нам удается встретить любимого человека, который, как нам кажется, отвечает нам взаимностью, но какие-то невидимые силы нас с ним разлучают. В данной ситуации причиной неудачного исхода может быть все что угодно: мы или оказываемся не самой выгодной партией, хотя, казалось бы, никто не станет спорить с постулатом: «Не в деньгах счастье», или просто не нравимся будущей свекрови (теще), или — самый банальный вариант — нашего избранника (избранницу) в буквальном смысле слова «уводят» у нас из-под носа, и не потому, что на него (нее) снизошла свыше большая любовь, а просто потому, что «там» оказалось лучше, веселее, занятнее.

Мы, возвращаясь домой засветло на глазах у большого числа людей, становимся жертвой нападения преступника, причем не совершая со своей стороны ни малейшей провокации. Нас временами буквально преследуют неудачи, в которых мы, при всей нашей самокритичности, никак не можем себя винить.

Разумеется, все это очень неприятно. Осознание подобной незащищенности буквально выбивает из колеи. Какой из всего этого можно сделать вывод? Человек в этой жизни постоянно находится под угрозой удара обстоятельств. Если он хочет чувствовать себя уверенно и комфортно, нужно уметь дать им достойный отпор. А это означает способность воздействовать на окружающих его людей. Вы уже знакомы с нашими предыдущими изданиями. Быть может, эта книга покажется вам менее интересной, чем предыдущие, потому что как-то неловко даже заговаривать об управлении окружающими, настолько опередив их в развитии. Однако трудно не согласиться и с тем, что возможности управления действительно не помешали бы человеку (ведь воздействие общества практически непрерывно) — особенно человеку, уже ознакомившемуся с первыми двумя ступенями ДЭИР. Тех же, кому впервые попала в руки наша книга, считаем нужным предупредить, что проведение большей части работы, предлагаемой в данном издании, возможно только после прошествия предыдущих этапов обучения. Только при наличии мира и гармонии в собственной душе можно внести мир в свое окружение так, чтобы это принесло пользу, а не вред. Если же человек сам потерян во тьме, то вокруг него будет та же тьма.

Поэтому — не в обиду читателю, впервые узнавшему о системе ДЭИР, а для его же блага — со страниц этой книги я обращаюсь в первую очередь к тем ученикам, которые, благодаря знакомству с предыдущими пособиями или посещению курсов ДЭИР, уже освоили управление собственной энергетикой и не зависят от патологических связей. Для них уже не составляет проблемы получать и пользоваться программами удачи и здоровья; они энергичны, жизнерадостны, сопровождаемы неизменным успехом; они по большей части избавились от всех своих внутренних проблем. Осталось решить то, что на данном этапе освоения нашей методики уже вполне выполнимо, — это внешние проблемы, связанные с окружающими людьми, от которых мы так часто зависим. Вы, не сомневаюсь, уже можете примерно определить точки управления человеком. В первой книге мы подробно рассказывали о том, что такое психология толпы. Приводились многочисленные примеры, иллюстрирующие, на что может оказаться способна толпа — как и любая иная группа людей. Человека как такового, с его собственным энергетическим строем, его личностными установками и программами, в тесных объятиях общества уже не существует. Есть лишь стихия, поглотившая в себя все и вся, течение в колоссальном энергоинформационном поле, заряженное единой отрицательной энергией, а каждый в отдельности человек в нем — только выполняющий свою функцию винтик, да и тот на данном этапе вычленить из общей массы уже невозможно.

Сразу же хочется обратиться к читателю, уже изучившему нашу методику по первым двум книгам: какими бы сложными ни оказались обстоятельства, вам ни в коей мере не угрожает ни стать одним из таких винтиков, ни, что, наверное, еще хуже, попасть в вынужденные лидеры толпы (за исключением тех случаев, когда вам это будет выгодно). Подобную «инфекцию» вы теперь навряд ли можете подхватить. Вы — человек уже совсем другого уровня: что для кого-то тяжело, для вас — привычная норма жизни. Вы, скорее всего, настолько уже сжились с освоенной при помощи ДЭИР стратегией бытия, что теперь и представить себе не можете другое мироощущение. Но, как было сказано выше, окружающая вас среда никуда не делась. И если вам не угрожает стать мелкой составляющей этой толпы, то уж захлестнуть вас или повлиять не в лучшую сторону на вашу жизнь она может. Так что если вас не устраивает ваше окружение, вы смело можете его изменить. На данном этапе вы научитесь создавать в нем гармонию энергетическими методами: нейтрализовать управляемого энергоинформационным паразитом локального лидера, а с ним и ведомую им группу людей; внедряя свою идею, использовать его энергию в выгодном для вас направлении; попутно избегать различного рода мелких неприятностей; при самых неблагоприятных обстоятельствах просто самоисключаться из происходящих событий.

## ЛЮДИ, НАПРАВЛЯЕМЫЕ ЭНЕРГОИНФОРМАЦИОННЫМИ ПАРАЗИТАМИ, — ЛИДЕРЫ?

Вы сами наверняка отмечали одну интересную особенность у людей, непреодолимо рвущихся к успеху и такового добивающихся: они отличаются невероятной активностью в процессе достижения своих целей, но их моральные основы, мягко говоря, оказываются довольно шаткими. В памяти сразу всплывают многочисленные примеры из истории, когда к власти прорывались люди сомнительных способностей, нравственности, а иногда и психического здоровья. Так, Гитлер, как известно, никогда не отличался ни талантами, ни усердием в приобретении знаний; он так и не закончил среднюю школу, дважды проваливался на вступительных экзаменах в Венскую академию художеств. Но это не помешало ему реализовать свои планы. Интересно, благодаря чему?

Многие наши сегодняшние руководители с трудом говорят по-русски и при этом не чувствуют себя неловко на руководящих должностях. Спрашивается, ну как пролезли-то? За счет чего? Имели ли они моральное право себе это позволить? Что оказало им поддержку?

Естественно, они оказались на своих местах вовсе не случайно — эти люди весьма удобны для использования энергоинформационным паразитом. «Цель оправдывает средства» — это тот взгляд на жизнь, которого они придерживаются. Теория Ф. М. Достоевского о невозможности построения счастья на слезах одного замученного младенца для них лишь глупая лирика. Себя же всегда есть возможность оправдать тем, что цель может быть грандиозна и последствия ее осуществления могут быть самыми замечательными (причем не только для них, но подчас и для всего общества!). Что же касается средств, то, во-первых, на начальных этапах ее осуществления еще неизвестно, так ли уж много придется поставить на карту, возможно, удастся обойтись совсем малой кровью (человек слаб и легко может быть обманут, если не защищен от влияния извне), а во-вторых, цель-то уж больно заманчива и наверняка ее достижение окупится сторицей (не прошедший первую ступень ДЭИР непрерывно заражается ложными желаниями). Ну а если случится так, что затраты окажутся выше запланированных, то тут уж ничего не поделаешь: нужно уметь платить. Приблизительно к этому сводится вся философия стремящихся самоутвердиться в этой жизни любой ценой. Причем в самых безобидных случаях средством расплаты за продвижение являются совесть и элементарное чувство собственного достоинства, которым наступили на горло, разрыв отношений с близкими и некоторые материальные потери. В наиболее жестких — человеческие жизни, миллионы человеческих жизней. Разумеется, это страшно. И любой мыслящий человек постарается сопротивляться подобному вмешательству в свою жизнь.

Тем не менее именно такие люди чаще всего выступают орудием влияния на общество энергоинформационного паразита, потому что их действия после пришествия к власти захватывают максимальное количество людей и освобождают наибольшее количество синхронизированной энергии, служащей питанием паразитической структуре.

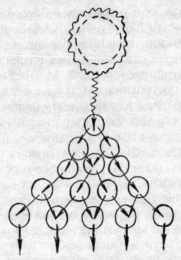

Рис. 1. Человек, находящийся на вершине пирамиды,
может привести в движение тысячи других

Мировая история, а в особенности история нашей многострадальной страны, знает множество примеров, когда ради какой-то сомнительной идеи гибло огромное число людей. В памяти сразу всплывают события времен Ивана Грозного и ненавистной народу опричнины, преобразования эпохи Петра Первого со всеми их издержками, революция 1917 года и последовавшая за ней братоубийственная Гражданская война, кровавая эпоха культа личности, война в Афганистане, сегодняшние события в Чечне. Так, в тридцатые годы миллионы людей в Поволжье умерли от голода только потому, что ради воплощения «великой» идеи их всех загнали в колхозы — искусственные объединения крестьян, совершенно еще не подготовленных к коллективному ведению хозяйства. Результаты же этого деспотизма тщательно скрывались, чтобы избежать огласки и признания неправильности выбранной политики. Все эти исторические события происходили не просто так, не сами по себе, а с ведома определенной группы лиц, преследующей вполне конкретные цели. А разрушительный эффект подобных мероприятий был огромен при всей немногочисленности их организаторов. Так что лидер любого уровня в современном обществе — наиболее вероятный ставленник, марионетка энергоинформационной паразитической структуры.

Разумеется, людей, оправдывающих «радикальный» взгляд на жизнь а-ля Гитлер или Сталин, можно встретить не только в верхах. Они всегда рядом с нами: на работе, на улице, в магазине, а иногда и в нашем собственном доме, и в наших интересах уметь им противостоять. Из всех окружающих они создают наибольшее число помех. Но для того чтобы противостоять им, нужно сначала понять две вещи: отчего они такие, создала ли их такими природа или есть другая причина, и главное — есть ли вообще способы с ними бороться.

## ПАРАЗИТИЧЕСКИЕ ЭНЕРГОИНФОРМАЦИОННЫЕ СТРУКТУРЫ — ИХ ОБРАЗОВАНИЕ И СПОСОБ СУЩЕСТВОВАНИЯ

В предыдущих пособиях по системе ДЭИР уже подробно рассказывалось о том, что вся энергия человеческого существа происходит из взаимодействия двух потоков: первый идет из Земли, второй — из Космоса. Оба эти потока частично выходят через чакры (их всего семь), каждая из которых выполняет свою функцию.

Через чакры Свадхистана и Манипура собирается рассеянная во внешней среде энергия Земли, а энергия Космоса, трансформированная сознанием конкретного человека, высвобождается. Это окна, через которые выходят наружу энергетические потоки самой человеческой сущности — то есть сознания и его программирующих структур. Роль этих чакр особенно велика в формировании паразитических связей в человеческом обществе.

Чакры Вишудха и Аджна освобождают энергию Земли, впитывая в то же время свободную энергию Космоса.

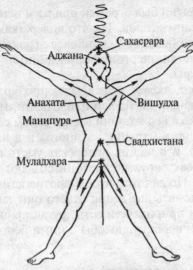

Рис. 2. Чакры стремительно перераспределяют энергию Вселенной
по телу человека

Поэтому через эти две чакры возможно осуществление
грубых энергетических воздействий — эмоциональных
зарядов. Это чакры политиков, актеров, гипнотизеров,
различного рода лидеров, способных благодаря их положению так или иначе влиять на нашу жизнь. Как уже видно из приведенных примеров, нормальные поля человеческого организма, складывающиеся из двух основных
потоков, трансформируются его собственной структурой.
То есть если человек о чем-то мыслит, если он к чему-то
стремится, кого-то любит, ненавидит, презирает, испытывает разного рода эмоции, естественно не всегда положительные, — все это неизбежно просачивается в
окружающую среду, в которой все мы и существуем. Так
происходит загрязнение поля мыслями и программами,
воздействующими на подсознание человека, а иногда и
целой массы людей. Получается замкнутый круг: сначала небольшая группа людей создает идею, воплощающу-
ся в энергоинформационном поле, затем энергия этого
поля начинает воздействовать на значительно большее

количество людей и поддерживает свое существование самостоятельно (то есть поддерживается идея, идея объединяет массы, массы освобождают синхронизированные энергоинформационные потоки, эти потоки составляют тело и питание паразитической структуры, последняя поддерживает существование идеи).

Существует интересное (абсолютно соответствующее истине) выражение: «Идеи витают в воздухе». Употребляется оно, как правило, в тех случаях, когда говорящий хочет подчеркнуть готовность общества к восприятию какой-либо идеи. И если уж они там «витают», то, наверное, кто-то их туда «запустил». Распространяться после этого они могут с непредсказуемой скоростью. Так, к партии германских националистов, к которой примкнул Гитлер после окончания Первой мировой войны, поначалу никто не относился всерьез, настолько она была малочисленна. Никому, за небольшим исключением, и в голову не приходили возможные последствия ее деятельности.

Как видно из приведенных исторических примеров, толпа, которую ведут управляемые паразитическими связями лидеры, отличается невероятной активностью; последствия этих «встрясок» еще долго отзываются эхом и сказываются на последующих поколениях. При этом сила толпы вполне объяснима: ведь ею движет интегральная энергетика общества, вернее его паразитических структур, причем происходит это только в наиболее благоприятные для «успеха дела» моменты. Та же энергетика паразитической связи за счет усиления энергоинформационных деформаций вокруг лидера обеспечивает его «правильное» руководство. Люди, попавшие в эти энергоинформационные потоки и не умеющие им сопротивляться, двигаются в них как пешки, действуют в ложных целях, совершенно не нужных им самим. Ведь сколько политических деятелей, реформаторов, революционеров и просто бунтарей отправляли людей на смерть! Справедливости ради надо отметить, что многие и сами шли, свято веря в пропагандируемые идеи. В итоге идея, взращенная на нездоровой энергетической почве, начинает жить самостоятельно, и уже не люди ее про-

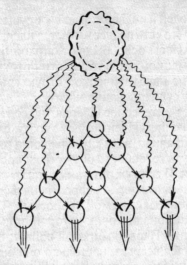

Рис. 3. Управляемый лидер тысячекратно усиливает свое воздействие
благодаря деформирующему психику людей влиянию
энергоинформационных паразитов

талкивают, а она ими движет, превращая людей в марионеток. Создается впечатление (и такова школьная
трактовка), будто идеи просто живут в умах народа, под-
держиваемые его интересами (вспомним марксистскую
теорию смены общественно-исторических формаций).

Однако такая трактовка в корне неверна, так как цели и интересы, на которых существует идея, чаще всего
бывают ложными. Они не могли бы возникнуть и про-
держаться в принципе, если бы не программирующее
воздействие энергоинформационного паразита. И если
история государства так богата руководителями — дес-
потами, неврастениками и просто не любящими свой
народ серостями, то для этого имеется сильнейшая энергетическая подпитка.

Эта паразитическая энергия охватывает все и вся, подобно смерчу. Она вмешивается в жизнь людей, разру-
шает их личные планы, подчиняя себе их стремления и
помыслы. Впрочем, сами вы, пройдя первую ступень
ДЭИР, уже гарантированы от воздействия этой вредо-

носной энергии и уже достаточно сильны для того, чтобы не только уметь защититься от нее, но и оказывать на нее самостоятельное воздействие (или принимать на себя управление, узурпируемое патологической связью).

Мы уже говорили, что подобные явления происходят не только в глобальных масштабах всего общества, но и в повседневной человеческой жизни. Мы можем не задумываться о них, но только до тех пор, пока они не стали происходить именно с нами. И вот тогда эта проблема оказывается актуальной! Вот весьма показательный пример.

Мою сотрудницу еще по Новосибирску (назовем ее Леной) ужасно изматывали конфликты с матерью мужа. Создавалось впечатление, что свекровь не только придиралась по поводу и без, но и успешно настраивала против невестки всех остальных членов семьи, включая собственного сына. По крайней мере заступиться за молодую жену в этом доме никто не хотел. Постоянные выяснения отношений, ругань, заканчивающаяся каждый раз слезами, заставили в конце концов Лену задуматься о разводе, которого ей совсем не хотелось. Единственное, что ей было нужно, — это жить интересами своей собственной семьи. Постоянное вмешательство извне ее изводило. Втайне еще надеясь разрешить эту проблему, не доводя до разрыва с мужем, она решила попробовать дать отпор. Как именно, она еще не знала, но ей повезло: все произошло само собой.

То, что случилось во время последнего свекровиного «наезда», Лена, прямо скажем, не поняла. Мне она рассказала следующее: «Поводом для конфликта послужило то, что я как-то не так, с точки зрения свекрови, убрала постель. И мне сразу же в достаточно грубой форме было сказано, что мой муж мог найти себе жену намного лучше. Не знаю, что со мной тогда произошло, но я вдруг всем своим существом осознала, что если сейчас я отвечу ей как обычно, то опять буду вовлечена в затяжной конфликт, на который моя свекровь, похоже, нарывалась сознательно. Я почувствовала, что должна что-то сделать особенное, неожиданное для этой женщины, и если у меня не получится, то выход один: уйти из этой семьи и больше сюда не возвращаться. Я собралась с силами, посмотрела на нее сочувственно и сказала, что она права: сын ее вполне мог бы выбрать жену не только более хозяйственную, но и гораздо красивее, умнее, моложе меня и т. п. Я вспомнила, как она упрекала меня раньше, и перечисляла все свои недостатки, упоминая при этом о достоинствах мужа. Говорила спокойно, с немного грустной, но искренней интонацией в голосе. Ведь недостатки действительно есть у всех. То, что вслед за этим произошло, было поистине удивительно. Ее глаза расширились, покраснели, казалось, она вот-вот потеряет ориентировку. Она молча меня выслушала. Рот ее при этом был открыт, как будто она хотела что-то сказать, но забыла слова. Она зачем-то открыла тумбочку и стала с отсутствующим видом перебирать в ней вещи. Вскоре, сославшись на головную боль, пошла прилечь в другую комнату, и я облегченно вздохнула».

Давайте вдумаемся в то, что случилось. Что в этой семье существовали паразитические обратные связи, фокусирующиеся на свекрови, и все члены семьи были охвачены ими — это нам с вами уже понятно. Но вот что произошло в данной конкретной ситуации? Ведь эта молодая женщина не ответила хамством на хамство. Она даже не сказала ни слова против, а наоборот, только соглашалась! Что же случилось? Сама того не осознавая, она каким-то образом сумела своего противника не только нейтрализовать, но и нанести ему серьезный удар.

Что же она сделала? Каким способом заставила ситуацию развиваться в выгодном для нее русле? Об этом пойдет наш дальнейший разговор.

## УПРАВЛЕНИЕ: ТЕОРЕТИЧЕСКИЕ ОСОБЕННОСТИ И БАЗОВЫЕ ПРИЕМЫ

Способы управления окружающими можно подразделить на энергетически активные и энергетически пассивные. Последние являют собой основу управления вообще, поэтому начинать освоение метода, естественно, рекомендуется с них. Способы пассивного воздействия на людей сводятся, в свою очередь, к двум направлениям: использование невербальной информации, получаемой путем постоянного наблюдения за людьми, и отсечение этих людей от управляющих ими потоков энергии, осуществляемое в нужный момент. Как говорят, мудрый действует недеянием, а наш читатель уже достаточно мудр. Правда, это не означает, что ему можно будет бездействовать в своей реальной жизни, на уровне физического плана.

Как уже говорилось, действия всех членов конкретной группы и их лидера подготовлены распространенным всюду к тому моменту патологическим энергоинформационным полем. Роли уже распределены, и сценарий написан. При этом патологическая сеть энергетики человеческого общества заблаговременно начинает создавать в психике окружающих некую психическую деформацию, что-то вроде «момента онемения», облегчающего лидеру путь к цели. При этом происходит то, чему мы все периодически являемся свидетелями: умные люди, устоявшие против патологических энергоинформационных полей, безмолвствуют, облегчая толпе победу, или в лучшем случае, согласуясь со своей совестью, пытаются совершать какие-то направленные против толпы действия, которые никем не воспринимаются всерьез и ни к чему не приводят. Поэтому ваше право и, наверное, дело вашей совести распознать этот момент заранее. Он отмечен некоторыми признаками.

*Система навыков ДЭИР*
*ступень III*

## Шаг 1. Выявление признаков подготовки согласованного действия и пассивные приемы управления

**Шаг 1а.** Самый первый признак, на который нужно обратить внимание, — это изменение ауры. Он особенно важен по той причине, что проявляется на самом раннем этапе развития событий, когда у вас еще много времени для принятия решения и есть достаточно большой выбор способов воздействия. Как известно, хорошая аура — признак духовного и физического здоровья. Люди, подверженные воздействию патологического энергоинформационного поля, отличаться им, естественно, не могут. Поэтому в подобных ситуациях всегда нужно обращать внимание на ауры окружающих вас людей: они истончаются, на них появляются уродливые наросты.

По воспоминаниям одного экстрасенса, эмигрировавшего из России в 1917 году, атмосфера в обществе за несколько месяцев до революции приобрела крайне напряженный в энергетическом смысле характер. «Что-то страшное своей неизбежностью буквально пронизывало воздух; в нем царило гнетущее напряжение, которое рано или поздно должно было во что-то реализоваться. Практически невозможно было встретить человека с нормальной аурой: у всех она была или предельно истончена или до безобразного деформирована. Казалось, что все — и те, кто активно участвовал в происходящих событиях, и те, кому оставалось только тихо ждать их развития, — находились в ожидании страшного взрыва. Все понимали, что что-то должно случиться. Как будто чьею-то властной рукой была запущена в действие невидимая машина, манипулирующая миллионами жителей, и ни у кого не было возможности ее остановить».

Уяснив для себя происходящее, на физическом плане вы можете действовать по своему выбору. Разумеется, проще всего уйти. Не случайно всегда увеличивалось количество эмигрантов из страны, в которой начинали происходить нежелательные политические и экономические изменения; распадались семьи, где один из супругов посягал на внутреннюю независимость другого и пытался превратить партнера в собственность. Но на это, естественно, стоит решаться только в том случае, когда у вас нет никаких шансов изменить ситуацию.

Самоустраниться вы можете практически на любом этапе развития событий, но только при условии, что вы не начали предпринимать активные действия: если вы обратите на себя серьезное внимание как на противника, вам могут уже не позволить уйти. Поэтому нужно предварительно проанализировать все возможные последствия ваших действий.

Итак, признаком первого этапа развития событий является истощение аур. Для того чтобы изменить ситуацию в выгодном для себя направлении, на этой фазе вы можете совершить привлекающее к себе внимание действие или поднять тему для обсуждения, которая в дальнейшем займет умы собеседников и уведет линию развития событий в сторону. Не забывайте, что напряжение буквально пронизывает людей насквозь, и если у вас есть возможность обеспечить им безобидную разрядку, не премините это сделать.

*Шаг 1б.* Тот же прием можно использовать в процессе развития второй фазы — возникновения мощных энергетических потоков, сопровождающихся вначале мощными выплесками эмоций. Из этого следует, что поднятая вами на данной фазе тема должна быть как можно более эмоционально окрашена. В повседневной жизни этот прием умело используют опытные преподаватели, которым периодически приходится привлекать внимание аудитории, значительная часть которой заранее настроена против него и его предмета. В ней, как правило, имеется лидер, которого нужно уметь нейтрализовать или даже привлечь на свою сторону (на данном этапе развития событий это вполне возможно). Суть заключается в том, что преподаватель ведет себя совершенно нестандартно: рассказывает о том, чего от него никак не ждут; отвечает предельно терпимо на самые глупые вопросы, стремится понравиться женщинам, обеспечивая таким образом поддержку последних. Привлекая к себе внимание таким нестандартным поведением, а лидера группы выставляя в самом невыгодном свете, ему удается переключить на себя расположение аудитории. Сложность состоит в том, что всю группу нужно как можно дольше держать в эмоциональном напряжении. Если с задачей справиться удастся, вы вполне можете сами стать хозяином ситуации.

*Шаг 1в.* Третья фаза развития событий характеризуется ясно выраженным у окружающих состоянием вялого беспокойства, что-то вроде рассеянного оглядывания. Вызвано это тем, что отрицательные энергетические потоки, вначале заряженные мощными эмоциями, впоследствии навевают оцепенение. Так, после длительного эмоционального напряжения любой человек надолго может впасть в апатию, из которой его очень трудно вывести. В этот момент вы можете попробовать занять участников события решением какой-либо логической задачи, не требующей особой эмоциональной вовлеченности. Можно также воспользоваться собственной энергетикой (но это уже активные способы энергетического воздействия, и о них мы расскажем позднее). Самого лидера удержать от выступления в данный момент уже невозможно, так как почва для него подготовлена самым лучшим образом.

*Шаг 1г.* И последняя фаза развития событий — это непосредственное выступление лидера, «марионетки». Если дело дошло до этого, то нужно иметь в виду следующее. В этот момент пытаться воздействовать на окружающих уже бессмысленно: они в оцепенении и вас не слышат. Вы противостоите их лидеру, оказываясь, по сути, с ним один на один.

Если для вас не подходит вариант с самоустранением, то остается другой выход: перехватить у лидера инициативу и самостоятельно получить эффект, которого он намеревался добиться. Но здесь простыми действиями на обычном социальном уровне не обойтись, так как методы «марионетки» безукоризненны: ведь они подготовлены патологическим воздействием энергоинформационного поля. Вам нужно будет сначала отсечь его от питающей силы.

Переходя ко второму виду пассивного воздействия на людей, необходимо сказать о слабости рвущейся к власти «марионетки». Дело в том, что без поддержки патологической энергоинформационный среды такие люди оказываются совершенно бессильны. «Марионетку», оставшуюся без подпитки, можно сравнить с деревом, которое выкорчевали из земли и зарыли в песок: какое-то время оно еще будет сохранять привычный для него вид, а потом увянет. Таким образом, вторым способом воздействия на людей является отсечение конкретного человека от управляющих им потоков.

Примеров, иллюстрирующих зависимость «марионетки» от подпитывающей среды, множество. С подобным явлением мы сталкиваемся чуть ли не каждый день. К примеру, начальник, заполучивший свое кресло не по заслугам, никогда бы не смог этого сделать без серьезной поддержки со стороны определенной части своего окружения, создавшего для него благодатное энергоинформационное поле. Те же, кто никогда бы не стал его поддерживать, находясь под воздействием того же поля, пребывали в состоянии «онемения». И занимать свой пост этот начальник будет до тех пор, пока патологическая энергия этого поля будет его подпитывать. Если же вдруг подпитка оборвется, произойдет следующее: «марионетка» рухнет с высокой должности, окажется на какой-то другой, значительно ниже ранее занимаемой, где поначалу будет проявлять те же качества своей натуры, благодаря которым он смог пролезть к власти и долго ее удерживать. Только на предыдущем месте эти качества воспринимались как нечто естественное, само собой разумеющееся. В теперешнем его положении подобное поведение станет неадекватным и вызовет надлежащий отпор со стороны коллег, так как новое для него поле является для него чужеродным.

Само по себе отсечение «марионетки» от паразитической подпитки энергоинформационного поля осуществляется достаточно просто. Главное — суметь выбрать нужный момент, иначе все ваши действия окажутся произведенными впустую. Самый оптимальный вариант для выступления — это те минуты, когда ваш противник только к нему готовится, когда он только собирается раскрыть рот. Решительное действие в этот момент — половина успеха.

Приведенный выше пример разросшегося конфликта невестки и свекрови иллюстрирует нам прежде всего успешное отсечение противника от его питающей среды в тот момент, когда он уже действует. Если бы молодая женщина сказала хоть слово против, она бы установила с паразитической средой привычный контакт и тем самым только подлила бы масла в огонь. Успешному исходу дела способствовало и то, что разговор происходил один на один, в отсутствие остальных членов семьи, и подпитки, кроме как от самой невестки, свекрови взять было неоткуда. А так как данный «провод» отказал, то автоматически произошло «замыкание», в результате которого лидер был вырублен из рабочего состояния. Естественно, что если бы девушка действовала осознанно, то ситуация не приняла бы такой острой формы. Разгляди она в происходящих событиях момент изменения аур, назревавшую цепь конфликтов можно бы было предотвратить. Но сам факт, что она смогла отсечь «марионетку» от паразитической сущности в момент ее выступления, говорит об очень сильном воздействии, которое ей удалось совершить.

*Система навыков ДЭИР*
*ступень III*

## Шаг 2. Активное отсечение паразитической энергетической связи от другого человека

На энергетическом уровне отсечение осуществляется тремя приемами. Чтобы использовать их, вам лучше для начала вспомнить функции и расположения конкретных чакр и приемы управления потоками собственной энергии. Об этом мы подробно говорили в наших предыдущих двух книгах.

Суть первого способа заключается в том, чтобы временно или постоянно прекратить энергетическую подпитку «марионетки» от системы паразитических связей. Делается это следующим образом. Вы концентрируете свою энергию в Аджна-чакре, даете ей разрастись и остронаправленным выбросом энергии из нее блокируете

Аджна-чакру вашего противника. Это вызывает краткую дезориентацию. Если же вы видите подключку к паразитической среде в виде темного энергетического жгута, примыкающего к Аджна- или Сахасрара-чакре «марионетки», вы можете просто разорвать его все тем же лучом концентрированного выброса энергии из Аджна-чакры.

Как только вы это сделали, подпитка прекратилась. Ваш противник, не осознающий происходящее, находится в замешательстве, вы же приобрели свободу действий. Разумеется, вам заранее необходимо спланировать все тщательнейшим образом, чтобы не потратить время зря, так как в таком состоянии он будет не вечно. Обычно оно длится секунд тридцать, в самых благоприятных случаях — минуту и более. Но при правильном расчете времени и сил этого вполне достаточно, чтобы высказаться и повернуть ситуацию в выгодном для себя направлении. Второй прием несколько сложнее и потре-

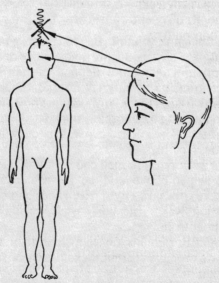

Рис. 4. Как прожектором, вы вторгаетесь потоком энергии из своей Аджна-чакры в центр управления противника

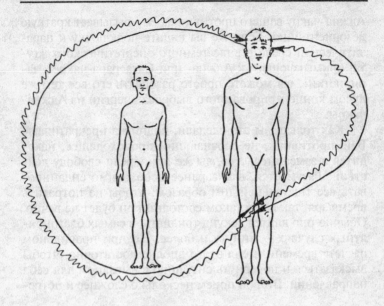

Рис. 5. Вы просто помещаете свою «мишень» под «колпак»

бует от вас больших усилий. Вы обладаете уникальной, недоступной для других энергетической оболочкой, установленной при освоении первой ступени системы ДЭИР, созданной из замкнутых потоков энергии верхних и нижних чакр. Поток этот, как вы помните, неуязвим для сторонних воздействий, поскольку является самодостаточным. В наиболее серьезных ситуациях советуем пользоваться им.

Проведя замкнутой петлей собственной энергии, выброшенной вашей оболочкой, вокруг вашего противника, вы можете отрезать ему патологическую связь с остальной средой. Как и в первом случае, «марионетка» остается без подпитки.

Есть и третий вариант, более интересный. Он позволяет выиграть столько времени, сколько необходимо для вашей операции.

Расширьте свою энергетическую оболочку, вернее сказать, раздуйте ее так, чтобы ее хватило на двоих. Образуйте в ней отверстие — такое, чтобы вы могли впустить в нее противника. Как только он будет под оболочкой, сомкните отверстие.

Теперь «марионетка» оказалась не просто отрезанной от своего паразитического поля, она попала под ваше прямое воздействие. Не берегите свою энергию — и ваш противник будет полностью дезориентирован. Оставляйте его там столько, сколько вам нужно для успешного выполнения задуманного, но потом, когда добьетесь своего, не забудьте исключить его из сферы своей энергетики. Разумеется, применение этого приема требует большего опыта и энергетических затрат, но, как вы впоследствии убедитесь, он того стоит.

# Глава 2

# Активное энергетическое воздействие: применение и применимость

## *АКТИВНОЕ УПРАВЛЕНИЕ — СИЛОВЫЕ МЕТОДЫ*

До сих пор мы с вами говорили только об энергетически пассивных способах управления — то есть вы регулировали действия других людей, но не включались в управление на энергоинформационном уровне. И если вы достаточно грамотны в области общения, то вам вполне их может хватить. Окружение ваше теперь уже не опасно, вы его можете себе «подчинять». Но в данном случае добиваться своей цели вам придется в одиночку — активная роль принадлежит только вам, за вами пойдут, вы осуществите задуманное, но ценой только собственного упорства. Активных действий со стороны в вашу поддержку не будет.

Но если вы не удовлетворены результатами своего вмешательства в события или находите свои возможности недостаточными, вы можете прибегнуть к активному управлению.

Силовое воздействие, которым отличается активное управление, вам вполне доступно. Но сразу хотелось бы предостеречь вас от излишней траты сил и энергии. Не увлекайтесь, растрачивая их зря. Разумеется, все, о чем мы здесь будем говорить, вам вполне по силам. Однако согласитесь, что с простыми проблемами нужно уметь справляться простыми средствами. Нельзя одними и теми же лекарствами лечить обычную простуду и сильнейшее воспаление легких. Но если простое воздействие не работает, то, естественно, его приходится усложнять.

Мне сейчас могут задать вопрос: насколько нравственно с точки зрения морали практиковать активные способы управления на людях, которые в принципе не могут ему сопротивляться? Ведь наши возможности уже превзошли все мыслимые возможности обычного человека, чьи способности не раскрыты. Имеем ли мы право посягать на индивидуальность человека, на его личный выбор собственного пути, тем более таким нетрадиционным способом? Вопросы эти достаточно серьезные, они затрагивают саму правомерность того, о чем мы будем говорить на страницах этой книги, и требуют поэтому такого же серьезного ответа.

Во-первых, большей части людей свойственно желание управлять другими людьми — кому-то в большей, кому-то в меньшей степени. Это в общем-то нормальное стремление, и вы здесь не исключение. Но вы в отличие от других людей более развиты, предусмотрительны, дальновидны, вы не преследуете мелкие цели, и все ваши действия руководствуются благими намерениями.

Во-вторых, если вы не дадите паразитической среде разрастаться, то ваши действия принесут окружающим только благо. Разумеется, благодарности вы не дождетесь, потому что вас никто не поймет, не оценит, да и вряд ли кто узнает о ваших действиях. Однако задумайтесь: если вы не возьмете инициативу в свои руки, ее возьмет кто-то другой — ведь человек склонен по своей природе стремиться к власти. И в этом случае последствия могут быть тяжелыми для тех же людей, от управления которыми вы отказались. Так что выбирайте сами — изменить ситуацию, что в ваших силах, или оставить все как есть.

Итак, активное управление — это воздействие непосредственно собственной энергетикой. Активное управление включает в себя несколько элементов, первый из которых — управление вниманием. Как вы знаете, любое действие, совершаемое человеком, подразумевает несколько этапов. Первый из них — это привлечение внимания к предмету или проблеме. Второй — сознательная обработка информации, стадия принятия решения, и третий этап — собственно действие. Возьмем простейший пример: вы идете в магазин за продуктами. Но сначала вы должны были заметить, что скоро ваш холодильник опустеет; затем, осознав, что еще немного — и нечего будет кушать, вы начинаете обдумывать, что именно из продуктов вы бы хотели купить, и только потом идете в магазин и покупаете то, что вам нужно. Соответственно, если хоть один из этапов пропущен, результат будет нулевой. Все три этапа доступны для вашего воздействия, но начинать, естественно, нужно с первого.

## МАНИПУЛЯЦИЯ ВНИМАНИЕМ

Использование внимания — это не пассивный, как может показаться, акт, а активное действие. Для него мобилизуется определенный, постоянный запас энергии, который достаточно уязвим для воздействия со стороны. Не случайно люди эмоциональные, чувствительные, а также дети так легко поддаются чужому влиянию. Так что если на вас когда-либо производило сильнейшее впечатление общение с каким-то человеком, можно с уверенностью сказать, что было совершено умелое воздействие на этот ваш запас энергии.

Этот энергозапас скапливается в определенном месте — приблизительно на два пальца выше переносицы (Аджна-чакры); он начинает расходоваться при любом, даже самом незначительном движении внимания. Соответственно, если вы получите контроль над ним, вы сможете получить контроль над всем процессом, так как внимание противника будет в ваших руках.

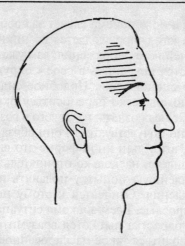

Рис. 6. За переносицей, в мозгу, расположено маленькое озерцо энергии — запас энергии, нужный для концентрации внимания

Сразу же отметим тот факт, что все приемы управления вниманием направлены на тактические, сиюминутные цели, они являются неплохим средством для решения проблем высокой сиюминутной значимости. Все приемы управления вниманием являются, по сути дела, вариантами одной и той же разновидности приемов, называющейся Аджна-подавлением. Прием этот очень древний, ссылки на него имеются еще в древнейших китайских источниках. Заключается он в мощном пробое или оттягивании запаса энергии. Скажем, если гипнотизер, вызвав человека из зала и погрузив его в транс, не произнося ни слова, заставляет выполнять нужные ему действия (собирать на сцене грибы, повторять собственные движения, совершать нечто такое, чего тот в реальной жизни делать бы никогда не захотел или даже не смог), он пользуется Аджна-подавлением. Действие оно оказывает очень сильное, позволяет подчинять даже моторику человека.

Применять его следует только в том случае, когда на карту поставлено очень многое и вы сильно ограничены во времени. Совет этот мы даем по той причине, что применение данного приема влечет за собой множество издержек, так как сопровождается возникновением вокруг вас сильнейшего напряжения; вам уже никаким образом не удастся сохранить в своем окружении видимость мира и спокойствия. Подобное силовое вмешательство не может легко переноситься окружающими. Они могут даже не осознать, из-за чего в воздухе повисло напряжение, но почувствуют его они обязательно и, соответственно, в той или иной форме это выразят.

Вы сами знаете, насколько отрицательно люди реагируют на малейшую попытку подавить их индивидуальные стремления. Относятся к этому негативно как дети, так и взрослые. Всем знакома ситуация, когда неугомонного подростка пытаются вразумить родители и учителя. Проводиться такое массированное воздействие может и по-хорошему, и по-плохому, но в конечном итоге подросток, как правило, отвечает озлоблением, а результат нравоучений нулевой. Взрослые обычно реагируют более сдержанно, но не менее чувствительно: ведь и те и другие склонны видеть в этом ущемление чувства собственного достоинства. Всем знакомо противостояние в трудовом коллективе, когда начальство пытается подавить определенные требования сотрудников. Напряжение может выражаться выплесками эмоций или, наоборот, гробовым молчанием, но в любом случае, какая бы его форма ни была задействована, его почувствует даже животное, случайно оказавшееся рядом с вами.

Мы привыкли объяснять это с психологической точки зрения: дескать, подавляется собственное «я», человек ограничивается в свободе выбора и т. д. Все это так. Но если посмотреть на этот процесс с позиций человеческой энергетики, то картина предстанет в совершенно другом свете.

Итак, прием осуществляется следующим образом. Вызовите центральный восходящий поток энергии (в первой книге системы ДЭИР мы подробно описывали, как это делать). Ощутите, как он вырывается через Аджна-чакру. Образы можете использовать любые, лишь бы они были яркими и осязаемыми, ведь ощущать их вам нужно будет достаточно долго. В первой книге я предлагал вам использовать образ «переключателя». Это образ рычага с грузом на конце, имеющего ось в основании черепа. Если его перебросить вперед, то начнется отдача энергии через Аджна-чакру, если передвинуть назад — прием.

Вам нужен жесткий поток энергии: по жесткости его можно сравнить с железным прутом. Вонзите его, как шпагу, в область Аджна-чакры вашего противника. Сделав это, вы наверняка почувствуете вполне ощутимое сопротивление. Продолжайте увеличивать интенсивность вашего воздействия, подавите его своей энергией. Очень скоро вы почувствуете, что сопротивление ослабло. Поток вашей энергии словно «провалился» в Аджна-чакру «мишени». Это ощущение очень четкое, и не заметить его невозможно. Продолжайте воздействие до тех пор, пока не почувствуете, что противник готов вам повиноваться, подобно вашей собственной руке или ноге. Если в этот момент сделать фотографию вашей ауры, то на снимке ваш противник будет выглядеть вашем продолжением. В процессе отдачи энергии желательно (но не обязательно) не отводить от него глаз. Если же ситуация этого не позволяет, то приложите максимум усилий

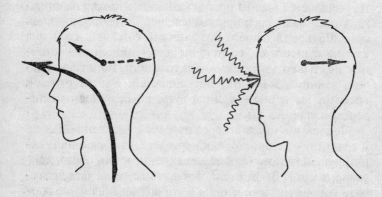

Рис. 7.

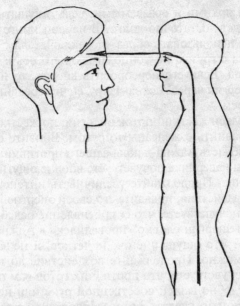

Рис. 8. Вы пронзаете запас энергии, нужный для концентрации
внимания

для сохранения образа (если ваш соперник зрительно до-
сягаем, то проводить воздействие значительно легче).

«Мишень» — на данный момент, как вы понимаете, — является вашим продолжением не только на снимке. Она — ваша расширившаяся энергоинформационная
суть. Во время вашего воздействия сама для себя она
уже не существует, ее нет; вы для «мишени» — источник не только двигательной активности, но и всех мыслей, эмоций, желаний, потребностей. В этот отрезок
времени вы и она — единая суть, но безусловным лидером являетесь вы.

Теперь вы можете передать своей «мишени» любой
импульс так же просто, как передаете импульс собственной руке или ноге (любое желание, чувство, образ, действие и т. д.). Вы можете заставить ее отвлечься, поте-
рять мысль, интерес к только что волновавшему ее процессу, произнести фразу, совершенно ей невыгодную, и

так далее. Вам принадлежат все энергоинформационные процессы, происходившие когда-то в теле вашего противника. Он ваш целиком и полностью.

Сейчас все изложенное выше вам может показаться несколько преувеличенным, но это действительно так. Надо только чуть-чуть потренироваться. Подобное управление становится возможным, как только наступает так необходимый вам момент полного подчинения «марионетки». Главное в данном способе воздействия — научиться воспринимать самое его начало. Это непросто и потребует длительных тренировок. Но одно можно сказать с уверенностью: вы сможете его безошибочно улавливать после первой же успешной попытки Аджна-подавления, так как знающий человек не спутает это ощущение ни с каким другим. И несмотря на то, что описать это состояние словами достаточно сложно, мы все-таки попытаемся.

Как уже было сказано, поначалу воздействующий испытывает достаточно сильное сопротивление со стороны «мишени». Практикующие Аджна-подавление иногда сравнивают его с невидимой глазу стеной, плотность которой может поначалу увеличиваться. Образуется она из-за столкновений вашего энергетического воздействия и энергетики «мишени». Разрастаться она может достаточно широко, вплоть до нескольких метров. Люди, попавшие в зону «стены», испытывают особенное напряжение. Это выражается в повышенной нервозности, иногда подавленности. Поэтому если вы твердо уверены в том, что поддерживать «марионетку» никто не будет, вам лучше сориентироваться в помещении таким образом, чтобы в зону воздействия не попали случайные люди. Длительность сопротивления может зависеть от целого ряда причин, главные из которых — собственная энергетика «мишени», энергоинформационное поле, оказывающее ей поддержку, и, разумеется, сама сила вашего воздействия. Поначалу сопротивление может даже увеличиваться, и начинающего, неопытного человека это может сбить с толку. Не тушуйтесь, продолжайте воздействие, ни в коем случае не ослабляя его, иначе «марионетка» может выйти из-под контроля. Еще немного, и вы почувствуете, как стена, которую вы могли буквально ощутить рукой, сама по себе начинает исчезать, как бы медленно «рассасываться».

Если вы в этот момент посмотрите на саму «мишень», то заметите, что поведение ее резко изменилось. Так как само воздействие происходит в очень короткие временные сроки, то, соответственно, и перемена резко бросается в глаза. Все, что было характерно для вашего противника еще минуту назад, куда-то исчезло. Зато появился безропотный, апатичный взгляд, некоторая вялость, медлительность. Со стороны может показаться, что человека только что хорошо стукнули и он еще не может опомниться.

Когда все эти признаки будут налицо, знайте: наступил именно тот момент, которого вы добивались. Сам же воздействующий ощущает в эти минуты моральный и эмоциональный подъем. И дело не только в том, что он добился успеха: практически любой успех вызывает схожие эмоции. С энергетической точки зрения он в этот момент «разросся», его «стало больше», он в полную меру ощутил возможность быть за пределами своего состояния.

Таковы особенности классического применения Аджна-подавления. Как я уже говорил, этот классический вариант довольно неудобен — это, по своей сути, крайняя степень энергоинформационной агрессии. Поэтому при разработке системы ДЭИР мы уделили внимание тем вариантам Аджна-подавления, которые могут быть проведены крайне быстро и максимально незаметно как для «мишени», так и для окружающих.

*Система навыков ДЭИР*
*ступень III*

## Шаг 3. Передача точечного импульса

Теперь рассмотрим один из вариантов Аджна-подавления: передачу точечного импульса. От классического Аджна-подавления он отличается только тем, что в данном случае не нужно проводить воздействие до полного подавления «марионетки» — касаться запаса ее энергии, лишать ее на все время воздействия возможности самостоятельно мыслить и действовать. Достаточно ее только всколыхнуть. Правда, для использования передачи точечного импульса также необходимо сначала овладеть техникой Аджна-подавления. Секрет успеха в использовании этого приема скрывается в умении без труда воспринимать состояние Аджна-центра «марионетки». В этом случае вы вполне осознаете, что резервный запас энергии, предназначенный для манипуляции вниманием, все время находится у человека в движении: то закрывается, то становится доступным.

Техника передачи точечного импульса заключается в следующем: как только вы уловили, что запас энергии вам открыт, прикоснитесь к нему своим собственным потоком Аджна-чакры — легко, быстро и ни в какой степени не ощутимо для окружающих. Ваше действие вызовет сбой во внимании марионетки.

Применения этого приема может быть вполне достаточно для того, чтобы успеть за выигранное время, к примеру, продвинуть свою идею, заставить события развиваться в нужном для вас направлении.

Сами понимаете, что когда даже на несколько минут внимание вашего соперника «переключено», вернуться в прежнюю колею ему достаточно сложно, даже если ваше воздействие уже прошло. События ведь не будут ждать. Когда же он возвращается, инициатива ему уже не принадлежит. Надо также сказать, что результаты подобного вмешательства зачастую оказываются более эффективными, чем вы сами ожидаете.

Примером такой неожиданной эффективности может служить такой вариант развития событий: на совещании нужно было нейтрализовать человека, готовящегося выступать против важного проекта. После короткого ошеломляющего воздействия на энергетический резерв внимания ему был предложен журнал, якобы освещающий поднятую проблему под другим углом. «Мишень» на две минуты «вырубается» из происходящего благодаря проведенному воздействию. Но затем происходит интересная вещь: воздействие и замешательство, вызванное им, давно прекратились, а он продолжал читать.

Так происходит уже не собственно из-за применения этого приема, а потому, что многим людям свойственно плохо переключаться с одного вида деятельности на другой. По этой причине мы можем иногда, зачитавшись, проехать нужную остановку; заиграться в футбол и пропустить нужную передачу по телевидению и так далее.

Такое часто встречающееся следствие применения передачи точечного импульса — лишь еще один плюс в пользу этого приема. По всем этим причинам действие точечного прикосновения можно считать не только более мягким способом активного управления по сравнению с Аджна-подавлением, но в большинстве случаев и более эффективным, так как оно не требует значительной затраты собственной энергии, не вызывает какого-либо напряжения среди окружающих. Но, как вы поняли, точечное воздействие требует большего мастерства и тонкого понимания сути происходящего.

*Система навыков ДЭИР*
*ступень III*

## Шаг 4. Отбор энергии

Еще один вариант жесткого энергетического воздействия подразумевает элементарный отбор энергии у вашего противника. Этот способ используется для того, чтобы вызвать в нем смятение чувств, беспокойство, сбить его с толку. Прием особенно эффективен, когда нужно блокировать какое-либо действие на глазах у большого количества зрителей.

Вам наверняка встречались люди, которые всегда произносили только правильные, иногда до тошноты правильные, речи. Они хорошо воспитаны, эрудированны, их речь на редкость грамотна и сдержанна, они никогда не позволят себе повысить на вас голос или сказать что-либо некорректное. Но вы смотрите на такого человека и думаете только о том, почему этот во всем правильный тип не вызывает у вас ни капли симпатии.

Почему он настолько зациклен на своей правильности, что оказывается не способен на элементарное выражение каких-либо человеческих эмоций? Он для вас неживой, и кажется, что от общения с компьютером, который тоже не совершает ошибок, толку было бы больше. В конечном итоге вы за таким человеком никуда не пойдете, как и большинство других. Почему он такой?

Скорее всего, кто-то лишает его энергии, придающей человеку столько обаяния, «вампирит» его. Это станет предельно ясным, если вы повнимательнее посмотрите на его ауру. Все идеи, выдвигаемые неэнергичной личностью, даже самые интересные, никогда не будут восприняты должным образом; их грубо можно сравнить с салатом из самых свежих овощей, но без соли, сахара, масла, уксуса и т. д., — вроде бы положено все хорошее, а есть невозможно. Из этого следует, что метод отбора энергии может являться эффективным средством управления окружающими людьми.

Давайте зададимся вопросом: как ведет себя человек, у которого не хватает — временно или постоянно — жизненной энергии? Как вы сами себя ведете, если вдруг ощущаете плохое самочувствие? Если вы не выспались и падаете с ног от усталости? И главное — каким вы воспринимаетесь со стороны? Согласитесь, окружающим по большей части нет дела до вашего внутреннего состояния и всех тех проблем, которые мешают вам быть в форме. Для них вы всегда должны быть активны, бодры, энергичны, целеустремленны, тем более если вы претендуете на лидерство. Если человеку хронически не хватает этих качеств, вполне возможно, что к нему кто-то «подключился» и нужно искать средства защиты. Но вам, читатель, на данном этапе вашего развития это, разумеется, уже ни в какой степени не угрожает.

Человек на самом деле может трудиться в поте лица и иметь в голове одну-единственную цель — достичь успеха, но, когда ему плохо, у него есть лишь одно желание: доползти до дивана и забыть обо всем на свете. Со стороны же создается впечатление, что этому человеку в достаточной степени безразлично то, что он сам говорит и делает. Трудно не согласиться с этим, тем более что у него в тот момент вялая речь, замедленные движения, взгляд, с трудом переходящий с одного предмета на другой. Он оказывается выключенным из общей атмосферы происходящего. Следовательно, окружающие, рассуждающие со своих позиций, воспринимают его как человека изрядно колеблющегося, неактивного, не заинтересованного в общем деле и главное — неискреннего. Что из этого вытекает? То, что за ним никто не пойдет.

Человек, вне зависимости от того, прав он или не прав, может повести за собой людей только в том случае, если он сам преисполнен веры в свою идею, если он сам до предела искренен и энергичен. Не случайно такие люди, как Гитлер, Ленин, кое-кто из наших сегодняшних политических деятелей, смогли прийти к власти: они сами фанатично верили в то, что говорили, и были предельно искренни. Сама же правильность их взглядов не могла оспариваться большим числом людей уже потому, что для нашего окружения, к сожалению, важно не столько, что мы говорим и делаем, сколько, как мы это делаем. Стало быть, даже если вы верите в то, что говорите, но говорите при этом неубедительно, вяло, без веры в голосе (ну не до нее вам в этот момент!), не обессудьте, вам тоже никто не поверит. Хотим мы этого или нет, но это закон, который работает всегда.

По этой причине прием, о котором пойдет речь, чрезвычайно полезен для воздействия на окружающих. Мы опять же не будем с вами рассуждать о том, этично его применять или нет; нам с вами нужно постичь сам механизм этого процесса. К тому же один и тот же инструмент, скажем нож, может послужить орудием убийства, а может быть и безобидным приспособлением для резки хлеба. Что же касается вас, то вы уже сами знаете, что использование этих приемов приемлемо для вас только из самых благих побуждений.

Теперь перейдем собственно к приему отбора энергии.

В первую очередь, для того чтобы свободно владеть приемом откачки энергии у вашего противника, вам нужно хорошо освоить применение образа «переключателя», о котором мы уже говорили. Вы должны уметь быстро и легко создавать в своем сознании отчетливое ощущение рычага, ось которого расположена внутри вашего черепа. Как только этот образ стал возникать в вашем сознании при первой же необходимости, считайте, что половина дела сделана. Теперь попробуйте ассоциировать его со своей Аджна-чакрой. Это, в общем-то, несложно и очень скоро должно у вас легко получаться. Вы уже делали это на первой ступени ДЭИР. Прочувствуйте связь, возникшую между Аджна-чакрой и рычагом. Ощущение этого переключателя должно быть таким же отчетливым, как ваше ощущение собственной руки или ноги. Точно так же, как ваша рука или нога, этот переключатель должен быть вам послушен. В первой нашей книге мы подробно говорили о технике управления астральным телом — вспомните ее, и вам будет легче освоить данный прием.

Если вы ощущаете этот переключатель передвинутым вперед, то происходит мощная отдача энергии через Аджна-чакру, если назад — то интенсивный отбор. При помощи этого инструмента вы можете не только от-

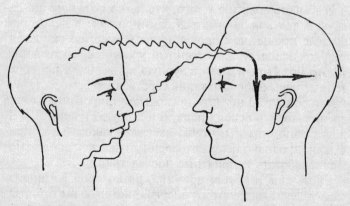

Рис. 9. Словно насос, вы временно отбираете чужую энергию

бирать запас энергии, необходимый для концентрации внимания противника, но и временно «отключать» остальные его чакры. Так, например, если создать падение эфирного тела примерно на уровне солнечного сплетения, то, несмотря ни на какие доводы «марионетки», выступление ее не будет убедительным и никем не воспримется всерьез, а если сделать то же самое на уровне лопаток, то она надолго потеряет способность действовать последовательно, что само по себе помешает достижению цели.

Способ этот, так же как и Аджна-подавление в классическом виде, часто применять не стоит. Он годится только в тех случаях, когда от него наверняка можно будет получить пользу. Дело в том, что вы в определенном смысле играете роль вампира — перекачиваете на себя чужую энергию. В самом умении это делать ничего плохого нет, так как ситуации, как вы понимаете, бывают разные, но в общем и целом, согласитесь, ни к чему, обладая неограниченным энергетическим запасом, приучать свое сознание и тело к подпитке со стороны.

Ведь суть вампиризма заключается в поиске и использовании людей в качестве защиты и источника энергии. Человек, постоянно практикующий этот прием, может выработать в себе эту негативную привычку — высасывать энергию у того, кто легко позволит это делать. А так как заниматься вампиризмом в некотором смысле проще, чем продуцировать энергию самостоятельно, используя собственный уровень самосознания, то это может перерасти в дурную привычку, а приобретенные навыки поддержания собственной самодостаточности сойдут на нет (это несколько утрированная точка зрения: те, кто освоил первую и вторую ступени ДЭИР, достаточно опытны, чтобы избежать какого-либо привыкания; однако неподготовленный человек вполне может заработать неприятные последствия).

Есть еще и другая причина, по которой вампиризмом увлекаться не стоит: энергия, которую вы отбираете от «мишени», скорее всего, недостаточно чиста. Ведь, потребляя ее энергию, вы сознательно накачиваете себя фрагментами программ своего противника, с которым вы и вступили в скрытый конфликт.

*Система навыков ДЭИР*
*ступень III*

## Шаг 5. Передача излишка энергии

Вариантом предыдущей техники, но с противоположным знаком, является отдача «марионетке» излишка вашей энергии. Делается это также при помощи «переключателя» восходящего потока энергии (конечно, освоившие первую ступень ДЭИР понимают, что сам по себе «переключатель» служит только для удобства фокусировки восходящего потока энергии).

Как вы помните, при передвижении рычага вперед начинается отдача энергии через Аджна-чакру — именно это вам сейчас и нужно. Вы создаете мощный луч энергии восходящего потока из собственной Аджна-чакры и направляете его в свою «мишень». Воздействие краткое, но очень мощное, почти такое же, как при Аджна-подавлении, за одним исключением: вы не стремитесь подавить противника. В вашу задачу, наоборот, входит «бескорыстно» поделиться с ним собственными ресурсами. Лучше создавать излишек энергии в шейной чакре «мишени», ближе к спине.

Правильно проведенный прием повышает уровень беспокойства «марионетки». Особенно эффективно его использование в тех случаях, когда вы имеете дело с людьми, склонными к излишней тревожности, мнительности, суете. Они, как правило, не слишком уверены в себе, но безумно энергичны. На них иногда смотришь и не можешь понять: ну откуда в этом тщедушном теле (большая часть нервных людей отличается заметной худобой) столько энергии? Где он берет силы, чтобы вертеться как юла, всюду соваться, без умолку говорить? Сразу же отметим, что вся эта деятельность, основанная на излишке энергии в области шеи и солнечного сплетения, и, как следствие ее, суетливость, сквозящая в каждом шаге «марионетки», к положительным результатам не приводят. Посылая человеку с повышенным уровнем тревожности свою энергию, которой и без того у него многовато, вы только усиливаете все недостатки его манеры держаться и нарушаете его последовательное мышление.

Так что данный прием также является неплохим способом активного управления. В результате сообщения излишка энергии деятельность вашего противника становится хаотичной, непривлекательной и, естественно, безрезультатной.

*Система навыков ДЭИР*
*ступень III*

## Шаг 6. Энграмма действия

Существует очень интересный прием, суть которого в сочетании техники Аджна-подавления и точечного воздействия. Воздействие, осуществляемое вами, очень краткое, вам достаточно только слегка всколыхнуть «мишень», но при этом вы передаете ей не просто энергетический импульс, а небольшую энграмму действия.

Что такое энграмма действия?

Давайте разберемся. Представьте себя отдыхающим в мягком кресле в уютном полумраке комнаты. Вы сидите (или полулежите) в нем уже давно, вам очень хорошо, тепло и комфортно под любимым пледом; но умом вы уже начинаете понимать, что время отдыха подходит к концу, что если вы так и пролежите в кресле, то потом долго будете об этом сожалеть. Еще одна-две минуты — и вы сбрасываете с себя плед и встаете. А теперь зададим сами себе вопрос: что лежит между намерением встать и конкретным действием? Вам наверняка знакомо это чувство. Уловили его?

Если нет, то проделайте это сегодня же, когда устанете от чтения данной книги, и прочувствуйте этот момент. Чем отличается ситуация, когда вы говорите себе: «Ну, встаю» — и никуда не идете, от ситуации, когда вы говорите себе: «Ну, встаю» — и сразу же поднимаетесь? Во втором случае вы должны совершенно определенно ощутить нечто вроде импульса или толчка — назовите

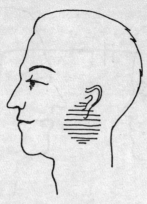

Рис. 10. Именно здесь рождается толчок к выполнению действия

как угодно. Импульс этот локализован где-то у основания черепа или в районе затылка. Здесь находятся отделы мозга, отвечающие за двигательные функции человеческого организма; туда и попадает сигнал о вашем намерении, и если вы его туда впустили, то начинаете действовать.

Именно этот сигнал, «толчок», и нужно передать своей «мишени». Вы на короткое время приоткрываете свою Аджна-чакру, проникаете в «мишень» и по образовавшемуся каналу передаете ей первичный толчок, энграмму действия, размещая ее примерно в центре головы «мишени». После передачи толчка контакт обрывается. При правильно проведенном приеме действие «мишени» происходит одновременно с передачей энграммы.

Достоинство передачи энграммы действия в том, что этот прием очень «легкий», то есть не вызывает напряжения среди присутствующих, не требует больших энергетических и временных затрат с вашей стороны. Вам наверняка приходилось бывать в компании людей, где присутствует один человек, внешне сохраняющий совершенно нейтральную позицию, но если понаблюдать за ним долго и внимательно, то можно заметить, что все происходящее вокруг входит в сферу его интересов — и

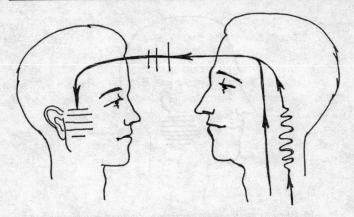

Рис. 11. Размещение энграммы действия в мозгу «мишени»

он порой одним-двумя словами, а то и просто взглядом направляет действия своих приятелей. Вполне возможно, что человек действует неосознанно, но даже в этом случае определенный результат налицо.

Приведу пример из обыденной жизни. За праздничным столом собралась компания молодежи; все молодые, интересные, общительные, но выделялась среди всех одна очень обаятельная девушка. Причем чисто внешне она совсем не была красива — скорее наоборот. Но из присутствующих этого, кажется, никто не замечал. Все без исключения — и мужчины, и женщины хотели ей угодить, причем, что интересно, сами получали удовольствие от того, что она разрешала им это делать. Стол был богато накрыт, что уже не так часто встречается в наше время. Девушка улыбалась, шутила, не оставляя ни одного участника вечеринки без внимания. Вдруг взгляд ее упал на еще не тронутый салат из свеклы очень нестандартного оформления. Блюдо было украшено тремя большими грибами, ножки которых были составлены из чернослива и грецких орехов, а шляпки — из яйца. Разглядев его как следует, уточнив, как это сделано, девушка по-детски засмеялась, перевела взгляд на хозяйку и сказала: «Знаете, я безумно люблю грибы — и собирать, и есть в любом виде, особенно маринованные». Этого оказалась достаточно, чтобы хозяйка схватилась за голову и стала сокрушаться по поводу того, что она не поставила на стол хранящиеся в холодильнике маринованные белые грибы. Она побежала на кухню, выложила грибы в блюдо и с трудом поставила его на стол, потому что места на нем уже почти не было.

Прокомментируем: разумеется, хозяйка уже сама думала, когда готовила стол, выставлять грибы или не выставлять. И решила не делать этого. Но, несмотря на свое предыдущее решение, тут же побежала за ними. Почему? Потому что девушка, произнеся свою фразу, немного «подтолкнула» хозяйку. Девушка была ученицей моего коллеги Десменцова и выполняла «домашнее задание» (позднее она стала преподавательницей на курсах ДЭИР). Хозяйка — моя ничего не подозревавшая двоюродная сестра Олеся, которая действительно страшно не любит делиться с кем бы то ни было милыми ее сердцу грибочками.

Конечно, приведенный пример — это лишь приятная, красивая мелочь. Жизнь иногда ставит перед нами другие, более серьезные проблемы. И описанный выше прием позволяет не только получать некоторые развлечения, но и облегчает борьбу в этом непростом мире. Если вы видите, что в ком-то из вашего окружения зреет интересная мысль, но человек по некоторым причинам не рискует ее выкладывать, подтолкните его, пошлите ему этот импульс. Он, может быть, даже рад будет этому впоследствии. Если же намечающееся действие может принести вам вред, сообщите «мишени» отказ от него, блокируйте ее мысль. В вашу задачу входит поглотить этот самый импульс. Если вам это удается, то «мишень» не сможет приступить к реализации своего плана.

Например, вы видите, что некто господин N, назовем его так, готовится выступить на совещании против вашего проекта. Вы прекрасно понимаете, что данный проект нужен и полезен (да даже проще — ВАМ ОН НУЖЕН!), все его сильные стороны известны, и, кажется, всем бы только радоваться, что близко воплощение в жизнь подобного замысла. Идя на совещание, вы вовсе этого не ожидали; но, оглядевшись, вы поняли по всем признакам (см. первую главу), что против вас готовится заваруха. К сожалению, обстоятельства сложились так, что у вас есть завистники, и если вы сейчас же что-то не предпримете, то ваш труд, длившийся несколько месяцев или даже лет, пойдет насмарку. Используйте тот же прием — стимулирование действия, только со знаком минус. Сообщите своей «мишени», что ей лучше сидеть не раскрывая рта, заблокируйте ее импульс так, чтобы ваш противник вообще забыл, зачем пришел на совещание.

*Система навыков ДЭИР*
*ступень III*

## Шаг 7. Индукция противоположного действия

Невозможно не рассказать еще об одном способе управления, овладение которым позволяет поднять уровень воздействия на окружающих на совершенно новую ступень. Он имеет много общего с приемом, о котором мы уже говорили, — с сообщением «мишени» излишней энергии. Отличается от последнего небольшим нюансом, который и изменяет коренным образом весь смысл самого воздействия.

Пожалуй, ни один из перечисленных выше приемов не требует такой серьезной подготовки, как этот. Овладение им требует не просто большого опыта, а колоссального мастерства. Суть его заключается в том, чтобы подвигнуть противника на противоположное действие. Согласитесь, что ничего более полезного и придумать-то нельзя. Если у вас есть враги или хотя бы недоброжелатели (а есть они практически у каждого самостоятельно думающего человека), то благодаря этому приему вы сможете использовать на свое благо не что-нибудь, а их негативное отношение к вам. Сначала даже представить подобное сложно. Но давайте разберемся в механизме действия.

Как вы знаете, в момент возникновения в мозгу человека импульса на действие создается излишек энергии. Так происходит абсолютно со всеми людьми. Но у лиц, склонных к повышенной тревожности, этот уровень высок сам по себе. И когда вы сообщаете им излишек энергии, их уровень тревожности возрастает, они начинают суетиться, путаться и в конечном счете проигрывают дело. Так происходит развитие ситуации в варианте, который мы не так давно рассмотрели. Но возможен другой исход событий, о нем мы сейчас и говорим.

В тот момент, когда вы своей энергетикой производите мощный толчок, побуждающий вашего противника к действию, поглотите тот импульс, который в нем уже есть. Сложность этого приема заключается в том, что вы используете и применяете два способа активного управления окружающими одновременно.

Но если вам удалось это сделать правильно и мгновенно, то в девяти случаев из десяти ваше действие приводит к движению на попятную, то есть «мишень», не успев ничего сообразить, говорит и делает не то, что намеревалась, а нечто противоположное. Если у вас в жизни были подобного рода затмения, когда по неизвестным причинам в последний момент вы совершали совсем не то, что задумали, это, скорее всего, означает мастерское воздействие со стороны.

Мы с вами только что разбирали пример поглощения импульса к действию в атмосфере делового собрания. Человеку, намеревавшемуся выступить против принятия проекта, заблокировали возможность действовать согласно его намерениям: он просидел молча до конца совещания. Давайте теперь подумаем, как могли бы развиваться события, умей воздействующий применять технику индукции противоположного действия. «Марионетка», планирующая выступить против, скорее всего выступила бы за. Когда бы ваш противник опомнился, то был бы в сильнейшем замешательстве от того, что случилось, и навряд ли смог бы членораздельно объяснить причину неожиданного для самого себя поступка. Выступление «марионетки» в вашу пользу, скорее всего, не стало бы шедевром ораторского искусства; ваш «единомышленник поневоле» говорил бы сбивчиво, путанно, перескакивая с одного аргумента на другой (некоторые люди при этом рьяно и неестественно жестикулируют). Кто-нибудь из присутствующих на совещании наверняка заподозрил бы его в нетрезвом состоянии.

Подобного рода защита будет в чем-то комична и как поддержка вряд ли сыграет свою роль. Но она, во-первых, заблокирует выступление против, а во-вторых, внесет замешательство в ряды остальных «марионеток» (в первой главе нашей книги мы говорили, что подобного рода лидеры сами по себе не возникают и в одиночку не существуют: им нужна мощная энергетическая поддержка паразитического поля).

Давайте теперь подведем некоторые итоги. Мы с вами ознакомились с возможностями энергетического управления действиями окружающих. В вашей власти сделать применение этих приемов совершенно автоматическим, и тогда оно станет незаменимой составляющей вашей жизни. Как вы уже не мыслите свою жизнь без тех навыков, которые вы получили при изучении предыдущих книг, так вскоре и приемы активного управления окружающими собственной энергетикой станут для вас абсолютно естественными, проводимыми бессознательно. Как уже говорилось, все это дано человеку от рождения самой природой, поэтому навыки вырабатываются очень быстро. Надо только захотеть вспомнить все то, что в вас заложено.

*Глава 3*

# Управление при помощи мыслеформ. Намерение, желание и конструкции

## НЕПОСРЕДСТВЕННАЯ СВЯЗЬ МЕЖДУ СОЗНАНИЯМИ ЛЮДЕЙ

Все те методы воздействия, о которых мы с вами говорили до сих пор, — это все же еще не тонкие энергоинформационные, а скорее просто энергетические приемы. Ведь вы, применяя их, действовали не своим сознанием (а значит, не вашей истинной сущностью), а энергией эфирного тела. Это совсем разные вещи: второе грубее и требует больших энергозатрат. Но избежать этого этапа в процессе обучения, как вы сами понимаете, невозможно. Ведь все развитие человека происходит по схеме «от простого к сложному».

Способности, данные человеку от рождения, намного тоньше и глубже, чем те, которые мы до сих пор использовали. Вы вполне можете научиться воздействовать на окружающих и управлять ими элементами собственного сознания, и эффект от подобного воздействия будет значительно лучше.

Кроме того, у всех грубоэнергетических приемов есть один существенный недостаток: они могут быть использованы только при решении краткосрочных задач. В жизни же, как правило, случается так, что если вы не видите перед собой перспективы (а ваше окружение может очень успешно этому мешать), то осуществление ближайших целей просто не имеет смысла. Согласитесь, ведь все примеры, приводившиеся до сих пор в пособии, — это либо ступеньки, которые необходимо успешно пройти для выхода на большую арену, либо средство разрешения критической ситуации, до которой, естественно, лучше дело не доводить. Поэтому теперь вам нужно познакомиться с долговременными методами управления. Они в значительно большей степени способны положительным образом повлиять на вашу судьбу.

Для долговременного воздействия все грубые импульсы, о которых мы с вами говорили, не подходят уже потому, что они очень скоро забываются вашей «мишенью». Она помнит о них только тот ограниченный период времени, пока испытывает ваше воздействие. Когда же воздействие заканчивается, ваш противник недоумевает по поводу того, как же это все могло произойти, и дает себе обещание, что больше этого с ним не повторится никогда. Поэтому для долговременного эффекта вам нужно овладеть искусством помещения образа в сознание другого человека, или, проще говоря, техникой изменения сознания «мишени».

Проведение этой работы, как вы впоследствии убедитесь на своем опыте, приносит наиболее заметные плоды. Более того, осуществление подобной техники приносит само по себе колоссальное моральное удовлетворение. Ведь вы в данном случае являетесь своего рода творцом, вы лепите из человека то, что хотите получить. Это значительно больше, чем воспитание или, тем более, грубое силовое воздействие, при котором сама человеческая суть вашей «мишени» никоим образом не задействована.

Для того чтобы осуществить долговременное воздействие, необходимо понимать, каким образом работает наше сознание и каким образом оно может, не прибегая к огромным энергозатратам, контролировать соседние личности. А так как двух одинаковых личностей не бывает, то и воздействия должны быть сугубо индивидуальны.

Психологи, изучая сознание людей, проводят интересный тест. Трактовка его может заинтересовать только специалиста, нам же с вами он поможет понять, какими сугубо индивидуальными образами оперирует наше сознание. Суть его заключается в следующем. Группе людей дается одинаковое задание: подробно охарактеризовать образы тех предметов, которые будут перечисляться. Далее испытуемым называют конкретные предметы, к примеру: цветок, стол, дом, автомобиль — что угодно, и нужно описать на бумаге тот образ предмета, который сразу же возник в вашем сознании. К примеру, вы услышали слово «стол». Какой образ стола возник у вас перед глазами? Стол письменный, или обеденный, или, может быть, журнальный? На трех или на четырех ножках? Высокий или низкий? Круглый или прямоугольный? Есть ли у него ящики?

Можете интереса ради провести этот тест-игру со своими друзьями, чье восприятие мира вам хотелось бы сравнить с вашим. Если затем вы соберете листки и сравните все описанные образы предметов, то, разумеется, не встретится даже двух одинаковых, потому что сознание человека глубоко индивидуально. Схожие, разумеется, будут. О чем это может говорить? О том, что ваши души в чем-то родственны. Но даже у самых родственных душ эту схожесть можно выявить только благодаря словесному описанию заданных образов. Но как вы знаете, «мысль изреченная есть ложь», и образ этот все-таки другой. Ни один мастер слова не может описать его не только таким, каким он является на самом деле (это распознать можно только с использованием нашей методики; но о ней — чуть позже), но даже и таким, каким сам его видит. Вспомните, сколько воспоминаний и различного рода научных трудов написано о Пушкине. И ни в одной из этих работ он не предстает перед нами одинаковым. С удивлением можно задать вопрос:

неужели даже сейчас, спустя почти двести лет, исследователи умудряются найти о нем какие-то новые сведения? Отчасти, может, это и так. Но дело не только в этом. У каждого современника Пушкина, знавшего его лично, имелись свои, субъективные представления о поэте. Переданы нам они были в словесной форме, стало быть, определенного искажения миновать было невозможно. В нашем же сознании формируется образ поэта на основе уже не документов, а мемуаров и научных трудов ученых-пушкиноведов. Значит, при восприятии образа происходит двойное искажение. И так абсолютно со всем, о чем мы слышим, читаем, узнаем.

Закройте на минуту глаза и представьте себе вашу ближайшую подругу или друга. Постарайтесь представить ее (его) как можно более жизненно, ярко, такой, какой она обычно предстает перед вами в реальности. А теперь подумайте: если бы вы могли поместить созданный вами образ в сознание того же самого человека, хорошо вам знакомого, узнал бы он себя, как в отражении? Нет, наверняка бы не узнал. Потому что образ самого себя в его сознании совершенно другой.

Что же нужно делать в этом случае? Как решить возникшую проблему несоответствия восприятия мира между собой у разных людей? Ведь нам требуется, чтобы восприятию другого человека стал доступен совершенно конкретный образ. Чтобы он, будучи помещенным в сознание другого человека, сработал, причем не каким-то схожим образом, а так, как было нами задумано. Без этого, как вы уже поняли, долговременное управление невозможно.

Для этого нужно чувствовать, какими именно образами оперирует сознание вашей «мишени» и какими образами, какими элементами собственного сознания надо пользоваться, чтобы добиться нужных результатов.

Казалось бы, это очень сложная, недоступная задача, но, как вы убедитесь, человек вполне может преодолеть пропасть между индивидуальными сознаниями. Не стоит забывать, что, несмотря на индивидуальные отличия, ядро души одного человека практически неотличимо от ядра души другого (подробнее о том, что такое ядро души, мы поговорим чуть ниже). Между всеми нами значительно больше сходства, чем различия. К тому же все наши души не разделены, так как являются элементами и отражениями большей структуры — единой энергоинформационной сущности Вселенной. В это утверждение бывает сложно поверить, так как каждый из нас находится в своем физическом теле, проходит свой индивидуальный жизненный опыт, искренне верит в свою уникальность и неповторимость. Но при желании любой из нас может преодолеть этот барьер, стоит лишь понять ту часть собственного сознания, которая является идентичной части сознания другого человека.

Родители, в семьях которых воспитываются однояйцевые близнецы, отмечали за детьми следующие особенности. Дети их не только безумно схожи по характеру, темпераменту, способностям, физическим данным. Уже в первые годы жизни родители замечают, что у детей совпадают вкусы в еде, одежде. В большинстве случаев близнецов одевают одинаково не потому, что так нравится маме с папой (в этом заключается заблуждение огромного числа людей), а потому, что выбор детей в этом оказывается схож. Когда начинают определяться некоторые жизненные цели, выясняется, что у этих детей ярко выражено стремление получить схожие, если не одинаковые профессии. Врожденной оказывается и склонность к некоторым заболеваниям. Известен случай, когда братья-близнецы, уже в течение нескольких лет не жившие в одной семье, общающиеся между собой только посредством писем и редких телефонных звонков, с интервалом в несколько месяцев заболели туберкулезом. А болезнь эта, как известно, к наследственным не относится. В довершение всего эти молодые люди, женившись практически в одно и то же время, выбрали себе в жены блондинок. О чем может говорить такое сходство не только в различного рода склонностях, но и в судьбе? О том, что между двумя братьями нет того барьера восприятия, который имеется у большей части людей.

Одна из родительниц близнецов рассказывала нам о своих детях на первый взгляд совсем удивительный факт, объяснение которому с традиционной точки зрения дать невозможно (впрочем, история знает тысячи примеров невероятно тесной связи между близнецами, так что в этом отношении рассказ вовсе не удивителен). Когда одному ребенку шести лет делали укол, второй при этом перекашивался от боли и начинал плакать. Мать интересовал следующий вопрос: может ли быть поведение ребенка вызвано исключительно лишь сопереживанием, ведь дети-близнецы обычно очень дружны? Однако дети в ту минуту находились в разных комнатах и один мог только догадываться, что происходит с другим.

Как очень скоро поняла и сама мама, ее ребенок ничуть не кокетничал, изображая физическую боль, он на самом деле ее чувствовал. Эта способность, к сожалению, утрачена большей частью людей и на данный момент еще не изучена вами. Между этими двумя близнецами связь была врожденной. При этом действовала она исправно только между ними двумя, и, таким образом, их врожденные способности оказывались ограниченными. Эта связь может развиться, но может и сойти на нет, точно так же как и любой другой навык, оказавшийся без постоянной практики.

Означает же это только то, что непосредственная связь между сознаниями существует, она вполне реальна, хотя не так уж часто встречается в повседневной жизни. Поэтому в ваших силах преодолеть барьер между вами и любым другим человеком, стоит лишь понять и почувствовать ту часть собственного сознания, которая является близнецом сознания другого человека.

*Система навыков ДЭИР*
*ступень III*

## Шаг 8. Практическая телепатия

Мы говорим о долговременном управлении и внедрении программ в чужое сознание — но для начала вам нужно научиться чувствовать мысли другого человека. На первый взгляд это кажется сложным, но на самом деле чрезвычайно просто. Будем отталкиваться от того факта, что внутренний мир человека имеет информационную природу. То есть он состоит из энергии, но организован по информационным принципам.

Давайте подумаем, что это значит. Вы наверняка замечали, что в разных языках встречаются одинаково звучащие слова, но при этом обозначающие совершенно разные предметы или понятия. Скажем, английское слово, звучащее как «мэгэзин» («magazine»), означает вовсе не магазин — торговое предприятие, а журнал; слово «мэни» («many»), означающее по-английски «много», с языка хинди переводится как «я»; по-немецки же «ja» («я») означает «да».

Подобных примеров можно привести множество. Воспринимается такое явление совершенно естественно, так как всем понятно, что дело тут не в слове, а в языках. Когда мы имеем дело с сознанием другого человека, нас ждут похожие сложности. Одно и то же ощущение, образ или элементарная мысль, помещенные в сознание другого человека, будут наделены им совершенно другим значением. И несмотря на то что образы, мысли и чувства, как мы уже говорили в первых двух книгах системы ДЭИР, беспрепятственно просачиваются из сознания каждого в окружающую среду, способность к чтению мыслей встречается очень редко. Ведь для того, чтобы его провести, нужно искать не мысль, а первичный образ, и уже от него улавливать вторичный импульс — значение образа. Примерно так же, как увидеть дорожный знак совсем не то же самое, что понять его значение (для этого нужно привлекать знания или логику). В сознании же человека несколько слоев, и получаемый образ всегда искажается. Одно и то же ощущение в процессе прохождения всех этих слоев обрастает множеством дополнительных значений, пока не превратится в цельный образ, которым, собственно, и манипулирует сознание. Именно по этой причине ваш друг и не смог бы себя узнать, помести вы ему в голову его собственный образ, сложившийся у вас.

Цельная мысль не приходит сама, ее нужно специально ловить. Техника этого процесса заключается в следующем. Нужно сосредоточиться на центральном ядре человеческой сущности — элементарном ощущении «я есмь». Сделать это на данном этапе вашего развития вам будет не так уж сложно.

Давайте для определенности выясним, что такое «я». Обычно мы ошибочно склонны ассоциировать себя с целым набором человеческих качеств. Все мы в общем-то хорошо представляем себе, что такое правильная самооценка. Разумеется, в течение жизни она, как и мы сами, может меняться, но обычно уже к девятнадцати-двадцати годам человек способен трезво оценить свои природные и выработанные качества. У него складывается достаточно четкое представление о своих возможностях, сфере интересов, характере, темпераменте и т. д.

Человеку мыслящему свойственно стремление разобраться в себе, ответить на вопрос: какой я? Добрый или злой, умный или не очень, тактичный или грубоватый? — и так далее. Самое сложное в этом процессе то, что на некоторые вопросы ответить оказывается просто невозможно, потому что мы бываем разные: больные и здоровые, полные и похудевшие, одинокие и пользующиеся сногсшибательным успехом у противоположного пола... Продолжать можно бесконечно. В конечном счете на вопрос «какой я?» мы сами себе даем приблизительно такой ответ: в большинстве случаев (то есть процентах в 60—65, не больше) я оказываюсь таким-то. «Ну а какой же ты во всех остальных?» Этот вопрос, как правило, остается открытым, вернее ответ приблизительно такой: как обстоятельства складываются, такой и есть.

Тогда давайте попробуем задать вопрос по-другому: что Я такое? Отвечая на этот вопрос, люди в большинстве своем опираются на те свои качества, которые отличают их от других. Они забывают, что в каждом из нас есть нечто большее, чем просто физические данные, характер, темперамент, определенный жизненный опыт, и что именно это «нечто» и определяет в конечном счете человеческую индивидуальность. Кто-то считает себя воплощением ума или красоты, а кто-то с низкой самооценкой — олицетворением невезения и хронических ошибок.

Давайте разберемся с тем, что же такое человеческое Я и где находится его главная составляющая. Но воспользуемся для этого не взглядом извне, а посмотрим на себя изнутри, заглянув пристально в собственное сознание. Итак, у вас есть осознанное тело, часть вашего Я. Оно может быть больным или здоровым, усталым или бодрым, но если вдруг из-за какой-либо болезни у вас изменится ваш физический облик (несчастный случай) или даже характер (поганое настроение), это не повлияет на ваше истинное Я; все равно это будете вы и только вы. Ваше тело — прекрасный инструмент для ощущений и действий во внешнем мире, но центр вашей человеческой сути не в теле.

У вас есть эмоции. Они многочисленны, иногда противоречивы. Вы радуетесь или горюете, спокойны или взволнованны, находитесь в состоянии отчаяния или надежды. Но при этом вы понимаете, почему вас охватывает то или иное настроение, и вы даже можете при желании им управлять. Вне зависимости от испытываемых чувств вы всегда с полной ответственностью можете заявить: «Да, это Я». Следовательно, ваши эмоции — еще не самое главное в вас.

У вас есть чувства. Вы способны слышать музыку и наслаждаться ею. Вам нравится смотреть на пляшущее пламя костра и вдыхать его дым. Вы получаете удовольствие, поглаживая кошку или собаку. Через органы чувств вы познаете и воспринимаете окружающий мир. Но если, не дай Бог, вам откажет зрение или слух, вы останетесь самим собой. Вы по-прежнему можете сказать: «Я есть». Ваши чувства — это тоже еще не вы.

У вас есть интеллект. Сейчас он достаточно развит и активен. А еще несколько лет назад он таким не был: вы меньше знали, меньше умели. Он так же, как и чувства, является инструментом для познания окружающего мира, но если вы потеряете способность логически мыслить, это все равно будете вы: центр вашей сущности — не в интеллекте.

У вас имеется определенный жизненный опыт: где-то вам сопутствовала удача, где-то были поражения. И этот жизненный опыт будет у вас накапливаться все время, пока вы живете в этом мире. Следовательно, ни ваши ошибки, ни ваш успех не могут быть олицетворением вашей человеческой сути — она глубже.

Получается, что ваше истинное Я — это некий центр воли, самосознания, способный владеть и управлять вашими интеллектом, эмоциями, телом, добиваться успехов в жизни и преодолевать неудачи. Именно там, в этом центре, и возникают первичные импульсы, которые заставляют вас двигаться, привлекать память, испытывать эмоции и решать логические проблемы и которые так сложно научиться воспринимать. И для того, чтобы научиться это делать, нужно уметь разотождествлять себя со своими эмоциями, чувствами, интеллектом и жизненным опытом. То есть для того, чтобы ответить на вопрос «что есть Я?», необходимо воспользоваться подходом от противного и ответить на вопрос «что не есть Я?». Давайте попробуем это сделать — но не в теории, а на практике.

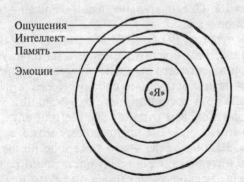

Рис. 12. Человеческое существо, словно жемчужина, состоит из многих неповторимых слоев, но в самом его центре находится объединяющая всех частица — как в центре жемчужины покоится песчинка из песков матери-Земли

Расположитесь поудобней в кресле или на кровати, позаботившись предварительно о том, чтобы в эти минуты вас никто не потревожил. Закройте глаза, расслабьтесь и постарайтесь вспомнить какую-нибудь картину из жизни, которая вам доставила бы особое удовольствие. Образ, создаваемый вами, должен быть как можно более ярким и осязаемым, сосредоточивайтесь на всех ощущениях, которые будете испытывать, наслаждайтесь ими, запоминайте их.

Закройте глаза и представьте, как вы, к примеру, входите в лес. Каким он предстал в вашем воображении? Он хвойный или смешанный, густой или больше напоминает парк? Какая погода в этот день? Пройдите хотя бы немного в глубь леса, насладитесь его запахами, красотой деревьев, пением птиц. Ощутите эти запахи как можно сильнее. Попробуйте среди всех птичьих голосов выделить какой-нибудь один, принадлежащий конкретной птице. Проведите рукой по траве, определите, влажная ли она, давно ли был дождь. Какие эмоции вы при этом испытываете? Вам нравится? Вам очень хорошо здесь? Не хочется уходить? Но вам придется это сделать, ведь вы, кажется, стали делать это упражнение для того, чтобы научиться распознавать первичные импульсы, возникающие в центральном ядре человеческой сущности.

Давайте от созданных вами образов вернемся к реальности. Итак, вы знаете свои особенности восприятия окружающего мира, вы только что в очередной раз в этом убедились, выполняя предложенное упражнение. Вы в той или иной степени любите в себе все это, потому что ваше восприятие отличает вас от других людей, создает вашу уникальность.

Вы только что испытали приятное ощущение прогулки по лесу. В вашей жизни было и будет еще много других приятных моментов, вызвавших огромное количество положительных эмоций.

Теперь откройте глаза и сосредоточьтесь на себе, отбросив все эмоциональные моменты. Как вы уже знаете, ваши эмоции и чувства — это не вы. Это не ваше Я.

**3** Д. Верищагин

Отрешитесь от них. То есть не выключите, а просто отбросьте как объект внимания. Для начала это может быть сложно: слишком сильно мы идентифицируем себя со своими ощущениями. Вам будет проще справиться с поставленной задачей, если вы скажете себе, что все наши чувства, мысли и даже деяния — это все не самое главное, а находящееся на поверхности нечто более важного. В душе у каждого человека есть ядро, без которого невозможно бы было наличие всего остального, вот оното и управляет нами. Оно — главное, и именно оно нам сейчас и нужно. Когда вы всем своим существом осознаете, что суть заключается в нем, то «шелуху» легко можно будет отбросить.

Теперь сделайте то же самое с любым предметом, находящимся в поле вашего зрения, — с цветком, вазой, ботинком — с чем угодно. Исключите образ вещи из сферы своего внимания. Отбросьте как объект — и вы исключите из списка своих объектов внимания зрительное восприятие, логическое восприятие и привлечение памяти (она была задействована автоматически для анализа природы образа, попавшего в сознание).

А теперь главное. Посмотрите на любого постороннего человека и ощутите, что центр, расположенный за вашей Аджна-чакрой, и его такой же центр — одно и то же. Не обращайте внимания на все, что окружает это ядро. Не воспринимайте этого. Важен только тот самый центр, который остался в вашем восприятии после отбрасывания эмоций, памяти, логики и зрительного образа. Ядро сознания постороннего человека, точно так же, как и ядро вашего сознания, является энергоинформационным сгустком и элементом энергоинформационной сущности Вселенной. А так как в корне вы с этим человеком едины, то нет ничего, что вы не могли бы друг о друге постичь.

Когда вы сможете это выполнить, к вам сразу же придут первичные ощущения: не желания, а скорее намерения этого человека. Постарайтесь, глядя на него, определить, что он слышит, что видит, куда направляется и с какими чувствами. Ваши ощущения также будут к вам приходить в виде первичных фрагментарных образов, но вы, в отличие от изучаемого вами человека, без труда можете их воспринимать. То есть вы, ваше Я, временно будет анализировать не свои образы, а образы, находящиеся в сознании другого человека.

Главное достижение, которого вы добились, это возможность ощущать ЖЕЛАНИЯ и НАМЕРЕНИЯ другого человека. Прочувствуйте как следует первичный образ другого сознания — вот человек видит улицу и... тут есть еще что-то... ОН ХОЧЕТ ВСКОРЕ СВЕРНУТЬ НАЛЕВО! ХОЧЕТ — это желание, а СВЕРНУТЬ — это намерение — базовые элементы сиюминутного механизма сознания. На этом уровне чаще всего происходит воздействие энергоинформационного паразита — и на этот элемент проще всего влиять со стороны. Ведь если есть желание и намерение, то достаточно только подать импульс к действию (а вы уже знаете, как это делается), чтобы человек немедленно начал реализовывать получившуюся конструкцию!

Постепенно эта способность глядеть в самый корень человеческого существа разовьется у вас в настоящую телепатию и вы сможете чувствовать и понимать значительно больше, чем раньше. Перед вами откроется полная картина тех образов, какими оперирует сознание человека. Для вас уже не представит никакой сложности заглянуть в душу другого человека; более того, вы сможете понимать его лучше, чем он понимает сам себя: ведь он, в отличие от вас, не умеет воспринимать без искажения первичные импульсы, принятые его сознанием. Мы уже не говорим о том, что вы без труда будете воспринимать различные произведения искусства, особенно музыку и живопись. Ведь любое искусство по своей природе нелогично и строится на интуитивном восприятии мира.

У вас обязательно получится — ведь, несмотря на кажущуюся сложность задачи, ученики на наших курсах овладевают этим всего за одно занятие!

Продолжайте использовать полученные навыки, совершенствуйте их. В реальной жизни простор для их применения очень широк. Умея «читать» истинные, глубинные намерения человека, вы сможете с легкостью избегать врагов, приобретать друзей, избавляться от тех проблем общения между людьми, которые вызваны различного рода недопониманием.

Разумеется, это только начало, хотя и замечательное. Приложите максимум усилий, терпения — и очень скоро вы сможете не только распознавать первичные импульсы окружающих, но и помещать свои намерения в сознание другого человека, вытеснив предварительно его собственные.

## ПРИМЕНЕНИЕ ОБРАЗОВ НАМЕРЕНИЯ ДЛЯ УПРАВЛЕНИЯ СОЗНАНИЕМ ЧЕЛОВЕКА

Как вы помните, во многих случаях поведение запрограммировано действием паразитического энергоинформационного поля, и под «собственными» намерениями конкретного человека подразумеваются действия, обусловленные подпиткой этого поля. Поэтому до того, как вы будете вытеснять первичный образ из сознания человека, привыкшего к «симбиозу» с паразитической структурой, вам нужно будет сначала изолировать «марионетку» от ее энергоинформационной среды. Вспомните, как это делать, заглянув в предыдущие главы. (Как видите, вы не просто воздействуете на человека, управляете им, но и играете при этом похвальную роль освободителя от паразитического влияния привычной ему среды.)

После того как вы справились с поставленной перед вами задачей, вы можете непосредственно приступать к подаче мыслеобраза. «Марионетка», резко отрезанная от своей среды, находится в состоянии повышенной чувствительности и поэтому с готовностью примет образ со стороны, то есть посланный вами.

Здесь есть один нюанс: подача образа не должна связывать вас и «мишень» единой энергетической связью. Даже находясь на вашей теперешней ступени развития, вы обладаете меньшими энергетическими резервами, чем разветвленная сеть паразитического энергоинформационного поля: ведь в нем задействовано огромное число людей, и все они обеспечивают ему свою подпитку; вы же с решением вашей проблемы и вашим единичным воздействием остаетесь пока в одиночестве. Возьмите себе за правило, что, работая с каждым конкретным человеком в отдельности, вы должны быть предельно точны. Это личность, хотя и привыкшая к управлению. В вашу задачу может входить только правильная подача мыслеобраза; в противном случае вы толкнете человека по неверному пути. Если вы попробуете управлять человеком непрерывно хотя бы в течение получаса, то убедитесь, что эффекты станут непредсказуемыми — ведь подаваемые вами образы почти, но не абсолютно совершенны — и ошибки будут накапливаться. Вы, как хороший врач, должны стремиться не навредить ни себе, ни людям и все взвесить, прежде чем предпринять какие-то действия. В вашем распоряжении для управления базовыми мыслеформами имеются следующие пять элементов намерения: намерение действия, намерение отвлечься, намерение уверенности, намерение отказаться, намерение пересмотреть ситуацию.

Мы уже говорили, что описать человеку несведущему эти ощущения очень сложно, тем более что они очень субъективны и каждый мастер, давно практикующий внедрение собственного первичного образа в сознание «марионетки», говорит о своих ощущениях по-разному. Вообще, все ощущения всегда очень индивидуальны, в данном же случае вы имеете дело не со своими ощущениями, а с чужими. Так что впечатлений от первого же успешного результата будет у вас бездна! Просто нужно хотя бы один раз испытать, что они такое, и тогда вы их уже никогда ни с чем не спутаете. Для этого и служит предыдущий 8-й шаг системы ДЭИР.

Стоит вам один раз «поймать», почувствовать ощущения другого человека, и вам сразу станет понятно, что скрывается под энергетическим определением его намерений. Если же у вас будут возникать какие-либо сложности, что в общем-то маловероятно, вам обязательно помогут группы единомышленников, продвинувшихся дальше вас по пути эволюции.

*Система навыков ДЭИР*
*ступень III*

## Шаг 9. Техника управления при помощи намерения

«Марионетка», находящаяся под влиянием паразитического энергоинформационного поля, как мы говорили, действует вполне логично и осознанно, только вот «логичность» ее поведения обусловлена не ее личными внутренними установками, а действием паразитической сети. Собственная же система оценки у «марионетки» находится в пассивном состоянии. Поэтому, после того как вы прервете воздействие на нее энергоинформационного внешнего поля, она окажется совершенно растерянной.

Мне иногда задают вопрос: испытывает ли «марионетка» какие-либо ощущения в тот момент, когда ее отсекают от родной ей подпитки? Конечно, испытывает, но все это происходит на уровне перемены настроения, растерянности, возникновения некоторого переосмысления происходящего. Ее ощущения можно сравнить с ощущениями человека, который сам не заметил, как оказался в незнакомой обстановке, и никак не может вспомнить, как это с ним случилось, и понять, что он тут вообще делает.

Подсказать ответ на этот вопрос должны будете вы. Все ваши действия сводятся к следующим этапам. Первый этап — его можно назвать предварительным — заключается в том, что вы изучаете сознание «мишени», «подслушиваете» ее мысли, анализируете, какой первичный образ подойдет для нее, а какой нет. Затем, на следующем этапе, вы должны создать себе необходимый настрой и отождествиться с «мишенью». (Как это делать и какие упражнения использовать для тренировки, мы с вами уже разобрали.) И третий этап, конечный, состоит в том, что в нужный момент вы вталкиваете в сознание «мишени» тот образ, который создали собственным сознанием.

Вы сами очень скоро сможете убедиться, что хоть мы сейчас и разложили весь процесс воздействия на его составляющие, времени он занимает совсем немного — он практически мгновенен. Главное в этом деле получить необходимые навыки, ну и, естественно, точно знать, чего хочешь, чтобы не наломать дров.

Надежнее всего пользоваться именно образами намерения, о которых мы уже упомянули. Суть их применения заключается в том, чтобы направить действия человека в нужное вам русло. К примеру, человек занимается определенным видом деятельности. Работает хорошо — не из-за денег и не ради самого процесса работы, а просто потому, что привык трудиться с полной отдачей, даже ничего за это не имея. У него прекрасные во всех отношениях способности, но ему и в голову не приходит поискать себя в другом деле. Вы же, используя приемы, о которых пойдет речь ниже, без особого труда можете привести его к мысли о перемене деятельности. Вам достаточно будет только посеять в его голове мысль о том, что он годами выполняет работу, ему самому совсем ненужную, что его лишь используют вышестоящие «марионетки», — и он все пустит на самотек и будет выполнять ту работу, которая нужна вам.

Приведем другой пример. Случай этот произошел со старой знакомой (одноклассницей) одного из последователей системы ДЭИР. Сын этой женщины, уже подросток, попал в дурную компанию и долгое время чувствовал себя там вполне комфортно. От попиваемых спиртных напитков, от разного рода курева (а курились, как вы догадываетесь, не только сигареты) вреда, по его мнению, никакого быть не могло. Аргумент на этот счет был следующий: если бы это было так вредно, никто бы не пил и не курил вовсе, зато «кайф от спиртного и от покуриваемой травки непередаваемый». Доказать что-то обратное было невозможно, так как ребенок все меньше поддавался влиянию извне. Общее ощущение свободы и вседозволенности, царившее в группе, нравилось парню куда больше, чем давление семьи и школы. Он был очень рад, что оказался в этой компании, даже гордый ходил. Как теперь вспоминает его мать, вытащить его оттуда было практически невозможно. Но произошло чудо, вернее, так считает его мать. Однажды ни с того ни с сего парня посетило ощущение, что его пребывание в этой компании нужно не столько ему, сколько его корешам. Ему-то с этого какой прок? Учебу забросил, еще немного — и оставят на второй год; испортил отношения с родителями и давешними друзьями, перестал посещать спортивную секцию и из самых сильных парней своего класса превратился в хлюпика. Вот, пожалуй, и все «достижения». После того как на него нашло это «озарение», все потихоньку стало налаживаться и в школе, и дома. Чудес, разумеется, не бывает. Просто последователь ДЭИР, помня о старой школьной дружбе, оказал семье посильную безвозмездную помощь и вправил парню мозги. О том, что он собирается это сделать, мама юнца, конечно, знала и чисто по-человечески была рада хоть какому-то участию, но что «каким-то там потусторонним воздействием можно человека от дури излечить» — в это, разумеется, не верила. И когда парень неожиданно для нее взялся за ум, прибежала к нам сама не своя от радости, не зная, как отблагодарить. А ведь всего этого она, в общем-то, могла добиться и сама, будь у нее достаточно знаний и веры в собственные силы.

Теперь вы убедились, что такое управление совершенно элементарно? После того как вы привыкнете использовать приведенные в этой книге приемы, вы добьетесь таких достижений, которые и не снились большинству экстрасенсов-чудотворцев.

С образов намерения, как мы уже сказали, лучше всего начинать; они являются своего рода фундаментом воздействия мыслеформами. Но со временем, поднаторев в этом деле, вы сможете пользоваться и другими, более сложными образами; к примеру, запускать в сознание «мишени» законченную логическую конструкцию и даже вкладывать в ее уста свои слова.

Итак, вы уже знаете, что при помощи передачи образа вы можете «перехватить» управление «марионеткой» у паразитического энергоинформационного поля. Это позволяет вам беспрепятственно манипулировать его сознанием. Вследствие этого «марионетка» не только не может принести вам какой-либо вред или даже беспокойство, но начинает сознательно действовать в ваших интересах.

Некоторые люди оказываются способны к этому от рождения. Где бы они ни оказались — всюду и без особого труда они могут незначительным приложением собственных усилий не только привлечь к себе внимание людей, но и совершить переворот в их умах. О таких говорят, что они прирожденные лидеры. Как вы понимаете, отличительная особенность лидера состоит не в том, какие идеи он проводит в жизнь, и не в самих идеях, а в том, что за ним идут люди и он способен их себе подчинять. Все остальные достоинства, такие как интеллект, работоспособность, ораторское и полководческое искусство, разумеется, играют определенную роль, но далеко не главную. Вы сами наверняка знаете среди ваших близких таких умных и трудолюбивых людей, которых вы уважаете и даже, возможно, любите, но за которыми вы никогда не пойдете, случись так, что они попытаются вас куда-то вести. Если человек не в состоянии увлечь за собой других, то он не может быть лидером, хотя, конечно, сам о себе он имеет право думать все что угодно.

История знает много прирожденных лидеров, вышедших из различных слоев общества, которые получили мировую известность только благодаря своим способностям вести за собой людей. Они стали лидерами не по воле случая, как это иногда бывает, когда ситуация требует наличия вождя, а потому, что их лидерство — ядро их человеческой натуры. Они будут вожаками в любой ситуации, при любых обстоятельствах. Таковыми стали, например, Ленин, возглавивший революцию 1917 года,

Спартак, привлекший в 73—71 гг. до н. э. в свои ряды 70 тысяч повстанцев, и многие другие истинные личности. Они могли вести за собой массы, потому что от природы обладали даром манипулировать сознанием окружающих. Мы вовсе не гарантируем вам, что, продвигаясь в дальнейшем по пути эволюции, вы приобретете такую же славу и войдете в историю. Согласитесь, не это нужно для счастья. Но стать лидером в большом коллективе и тем более в собственной семье — это уж вы обязательно сможете.

## ОСОБЕННОСТИ УПРАВЛЕНИЯ

О том, насколько возрастает результативность всех действий при высоком уровне мотивации к ним, вы знаете сами. Не случайно говорят, что человек может добиться чего угодно, стоит ему по-настоящему этого захотеть. Поэтому «марионетка», управляемая вами, добиться сможет очень многого, если вы умело используете приемы подачи первичного образа; результаты ее деятельности были бы значительно ниже, пытайся вы ее подталкивать грубыми импульсами, о которых мы говорили в предыдущих главах.

Как вы понимаете, помимо «марионеток», то есть людей, вовлеченных в поле паразитической энергии, вас окружает значительное число обычных людей. Их отличает от «марионеток» то, что они не подвергались постоянному воздействию со стороны, хотя и не были защищены от него. Они привыкли к эпизодическому влиянию, которое вполне в состоянии нейтрализовать через некоторое время.

То, что существует в центре намерения, очень легко проверяется логикой. «Марионетка», привыкшая не проверять возникающие у себя образы (а с нею и все чувства, и эмоции, и умозаключения) и действовать согласно им, оказывается очень послушна подпитывающей ее среде. Поэтому в случае вашего успешного отключения «марионетки» от питающего ее поля вы вполне можете взять на себя управляющие функции привычного «марионетке» сгустка паразитических полей: изменится суть воздействия, принцип же останется тот же.

Если же вы имеете дело с людьми, чье сознание практически незамутненно (вернее, используется от случая к случаю), задуманное так просто у вас не реализуется. Приготовьтесь к неизбежным трудностям, которые будут вам мешать до тех пор, пока вы не научитесь подавать человеку, не привыкшему к постоянному управлению со стороны, образ, соответствующий уровню его восприятия. В случаях, когда вы имеете дело с такими людьми, ваше воздействие должно как можно больше гармонировать с внутренним набором личностных качеств «мишени».

Относитесь к такому человеку внимательнее, чем просто к «марионетке», с большим, если так можно сказать, уважением. Что попало в голову ему вы все равно никогда не вобьете, если же это и получится, то ценой только колоссального труда, который может быть неоправдан. Поэтому наш вам совет: подобного рода людям посылайте только те образы, которые не примутся их сознанием и логикой в штыки; умейте найти компромиссный вариант между своим воздействием и внутренней сутью отдельного человека. Скажем, что делать, если вы знаете, что вам мешает конкретная личность, самостоятельно мыслящая, имеющая определенные доводы не в вашу пользу и желание выступить против?

Если проблема носит сиюминутный характер, то вы можете воспользоваться грубыми импульсами и подавить это стремление. Но, как вы сами понимаете, это все ненадолго, и вся ваша энергия будет уходить на то, чтобы не пропустить случай, когда ваш противник может открыть рот и выступить против вас. Разумеется, вам бы хотелось, чтобы проблема была решена раз и навсегда. Вы знаете, что на вашу сторону вам будет его не привлечь, поскольку он, так же как и вы, добивается своих целей, осмысливает происходящее, взвешивая все «за» и «против».

Что можно посоветовать делать в этом случае? Ищите компромиссный вариант. Если вам не удается сделать из противника единомышленника — добейтесь, чтобы он хотя бы не выступал против вас, чтобы он оставался при всех голосованиях «хронически воздержавшимся». Подкиньте ему выгодную для него идею, помогите создать определенное поле деятельности, попытайтесь тем или иным способом увести его от вас. Вообще, старайтесь действовать поактивнее в социальном плане. Когда у него в голове возникнет некоторое осознание того, что мешать вам — дело не шибко выгодное, тогда действуйте подачей нужного образа. Теперь вам уже ничто не должно помешать.

Для успешного претворения задуманного в жизнь примите на вооружение следующий нюанс: намерения, подаваемые окружающим, не должны быть связаны непосредственно с ситуацией, которую вы пытаетесь решить. Пусть эти намерения апеллируют к каким-либо посторонним событиям, на которые и внимания-то серьезного обращать никто не будет. Используя их, вы добиваетесь своего, отвлекая внимание людей от основной проблемы.

Разберем возможную ситуацию. К примеру, ваш начальник ни в какую не хочет посылать вас в заграничную командировку. Он прекрасно понимает, что она будет способствовать вашему профессиональному росту, а ему это не очень-то выгодно: конкуренты никому не нужны. При этом вы понимаете, что ваш начальник — единственное серьезное препятствие на вашем пути, так как других людей, способных вам помешать, рядом нет. Ваша трезвая самооценка также подсказывает вам, что из всего коллектива вы единственная стоящая кандидатура для этой поездки: вам она даст больше, чем кому-либо другому, и что именно по этой причине вас не хотят отпускать.

Что можно сделать в такой ситуации? Во-первых, ни с кем не спорьте и ни в коем случае не говорите никому, что хотели бы ехать. Помните, что если вы будете заострять внимание на ситуации, то же самое сделает и ваш начальник и все ваши дальнейшие действия будут проверяться его логикой. Ваша задача повернуть ситуацию таким образом, чтобы ему стало наплевать и на загранкомандировку, и на вас. Тогда он не будет вам мешать и вы добьетесь своего. Чем же можно отвлечь его внимание? Да всем, что для него значимо и что может подвернуться под руку!

К примеру, вам стало известно, что у вашего шефа нездоровый желудок. Положите как-нибудь незаметно ему на стол рекламную газету с перечнем самых лучших пансионатов, где лечат подобные заболевания (благо сейчас таких много). Еще лучше, если в этом материале будет подробно расписано, что может случиться, если болезнь запустить. Если газета хотя бы попадется ему на глаза, можете посылать ему образ конкретного намерения — съездить подлечиться. А дальше наблюдайте за происходящим. Без вашего воздействия он, скорее всего, положил бы эту газету туда, куда обычно складывают макулатуру. А как поступит в этот раз, увидите сами. Наблюдайте тихо, незаметно; промолчите, если он вдруг поинтересуется, кто мог положить газету на его стол. Если ваш начальник достаточно хорошо обеспечен и материальная сторона вопроса его остановить не может, очень скоро ему будет не до вас. К тому же он будет полностью уверен, что решение поправить здоровье он принял совершенно самостоятельно. Вы же поедете в желанную командировку, совершив предварительно положительный со всех точек зрения поступок: благодаря вашему своевременному вмешательству улучшится состояние здоровья человека и, возможно, продлится его жизнь.

## ИСПОЛЬЗОВАНИЕ ОБРАЗОВ ЖЕЛАНИЯ ДЛЯ УПРАВЛЕНИЯ

Помимо передачи образов намерения вы можете воспользоваться также и образами желания. Это означает, что вы можете изменить восприятие ситуации другим человеком, «поправив» его. Говоря проще, заставить его желать то, чего хотите вы. О том, что означает желание в жизни любого человека и как оно им движет, мы уже говорили. Кроме того, в отличие от образа намерения, желание действует дольше, потому что относится к немотивированным сигналам подсознания и, что очень важно, почти никогда не проверяется логикой.

Человек всегда склонен стремиться осуществить свои желания, даже если понимает, что они приносят ему вред. И даже если он осознает причину их возникновения, он скорее будет продолжать осуществлять задуманное, чем согласится нейтрализовать причину. Скажем, тот подросток, попавший в дурную компанию (его историю мы недавно разбирали), прекрасно понимал, что до того, как он там оказался, ему не хотелось прогуливать уроки, покуривать травку и т. д., то есть он хорошо понимал, что именно явилось причиной его новых желаний.

Казалось бы, чего проще: объединившись с другими родителями, учителями, а может быть, и при помощи милиции, просто попытаться разогнать эту компанию с ее паразитическим воздействием, и все тогда встанет на свои места? Нет, не встанет. Потому что действием паразитической среды была запущена разрушающая программа, и она вполне может функционировать в рамках сознания конкретного подростка. Теперь он открыл для себя новые виды развлечений, и ему не хочется с ними расставаться. Желания группы стали его желаниями. Более того, даже если бы его компания рассыпалась, он нашел бы себе такую же или еще хуже; потому что, как вы знаете, высокий уровень мотивации обеспечивает быструю реализацию задуманного. И если бы не своевременное вмешательство, отрубившее его от воздействия губительной среды, а затем поселившее в его сознании другие желания, паразитические стремления так бы и продолжали им руководить.

Или другой пример: молодой мужчина, все силы отдающий восхождению по служебной лестнице, влюбляется в девушку. Сам он по натуре очень деловой, расчетливый; главное в его жизни — самоутверждение за счет получения материального достатка и карьерного роста. Он целиком посвящает себя работе, учебе в аспирантуре, получению определенного социального статуса. Многие друзья справедливо критиковали его за такой подход к жизни: ведь в общем-то он сам себя ограничивал от многих житейских радостей и элементарного человеческого счастья. Но вот случилось нечто, чего от него никто и никогда не ожидал: он не просто увлекся, а страстно влюбился, что называется, до беспамятства. Так, что при этом забыл и о работе, и об учебе, и об элементарном материальном достатке, без которого, как вы сами понимаете, можно просто протянуть ноги. Самое неприятное в этой ситуации то, что именно такая страсть в итоге в любовь-то и не перерастает. Философы не случайно всегда проводили грань между страстью, влюбленностью и любовью. Эти понятия могут поначалу смешиваться, но выживает в конечном счете только любовь. Страсть же любая рано или поздно перегорает. То же самое, скорее всего, ожидало в ближайшем будущем и нашего молодого человека. Ему грозило лишиться не только объекта своей страсти, но заодно и всего того, чего он уже почти достиг.

Известно, что все девушки, пользующиеся успехом у мужчин, требуют внимания. В самых «легких» случаях мужчина должен по крайней мере уделять много времени объекту своей страсти. Так поступал и наш герой. Действовал он безоглядно и безрассудно, результатом чего стало его увольнение с престижной, хорошо оплачиваемой работы, а также отчисление из аспирантуры. При этом он практически не расстраивался, воспринимая все происходящее с ним философски, сел на шею собственным родителям и не собирался в своей жизни что-то менять. Советы приятелей, сводящиеся в общей сложности к одному: плюнуть на свою пассию и не дурить, никакого действия не имели, потому что, невзирая ни на какие логические убеждения, человек сознательно желал отдавать все свое время своей возлюбленной.

Дело дошло до того, что «доброжелатели» молодого человека в лице родителей и близких родственников попросили девушку уехать на время из города. Им казалось, что если просто убрать девушку «с глаз долой» (причину выбора неправильного пути), то все встанет на свои места или хотя бы не так быстро пойдет под откос. Она, разумеется, делать это отказалась и в общем-то была права: не таким средством надо решать подобную проблему.

И проблема эта, несмотря на всю ее сложность, была решена. В сознание молодого человека по просьбе родителей была заложена определенная логическая конструкция (вам еще предстоит освоить, что это такое), которая очень скоро начала работать и привела к желаемым результатам. Смысл этой конструкции заключался в следующем: если ты не возьмешься за ум, эта девушка впоследствии сама тебя бросит: зачем ей нужен отец семейства без работы и без денег, умеющий только изливать свои чувства? К этой логической форме было добавлено желание продолжать учебу в аспирантуре и работать. Надо сказать, что и то и другое возымело действие. И очень скоро на свете появилась новая счастливая семья: в ней царили не только любовь, но и достаток.

*Система навыков ДЭИР*
*ступень III*

## Шаг 10. Техника управления при помощи желания

Техника передачи желания заметно отличается от техники передачи намерения. Одно из отличий заключается в том, что для передачи желания нужно суметь особенно точно воспринять чувственную сферу «мишени», то есть «подслушать» ее мысли и чувства еще более тщательно, чем если бы вы имели дело с намерением. Вызвано это, во-первых, тем, что, как вы уже поняли из приведенных примеров, желание что-либо совершить всегда связано у каждого человека со временем, местом и конкретными людьми. Даже самые размытые, еще не сформировавшиеся человеческие желания подразумевают хотя бы один из этих компонентов. Сами понимаете, что человек может желать чего-либо только конкретно, но никак не абстрактно.

Другая причина заключается в том, что желание всегда лежит более поверхностно, чем намерение. Его, может быть, легче обнаружить в социальном плане, просто общаясь с людьми, но для управления оно более сложно. Как вы помните, для того, чтобы почувствовать намерение другого человека, приходится сознательно выключать слой за слоем собственное сознание, так вот желание идет в этом ряду непосредственно перед элементарным намерением.

По сути своей, с энергетической точки зрения желания могут быть только двух типов: положительное, заключающееся в стремлении чего-либо добиться, и негативное, смысл которого выражается в стремлении чего-либо избежать, что-то отвергнуть. Но в любом случае стремления эти вполне конкретны, и их вам нужно узнать, «подслушав» их в сознании «мишени».

Желание к тому же связано с намерением, но не зависит от него, а служит условием для принятия или непринятия намерения. То есть если есть намерение и оно не вступает в противоречие с желанием, то все идет как по маслу: человек действует четко, уверенно; одним словом, на пути человека никаких его собственных, внутренних барьеров не возникает. Если же между намерением и желанием возникло противоречие, то намерение, как правило, остается нереализованным. Стало быть, если в сознание «мишени» поместить желание, противоречащее ее намерению, то намерение это реализовано не будет. Относительная сложность применения для управления желания сторицей окупается именно этой особенностью.

Давайте, перед тем как заняться непосредственно изучением техники подачи определенного желания, вспомним необходимый нам процесс сосредоточения на нашем с вами ядре человеческой сущности. Если вдруг забыли, как это делать, загляните в начало этой главы.

Итак, вы сосредоточились на своих чувствах, ощутили еще раз все свои особенности восприятия окружаю-

щего мира, ощутили свои чувства — зрение, слух, осязание — и отрешились от них, отбросили их как объект
внимания. Потом сделали то же самое со своими эмоциями и интеллектом: и то и другое отбросили за ненадобностью. Главное сейчас — центр вашей энергоинформационной сущности или, если хотите, ваша душа.
Сейчас, за этим упражнением, вы в очередной раз почувствовали свое настоящее Я в чистом виде, без ретуши и прикрас в виде эмоций, разума и чувств.

Теперь, когда основной подготовительный этап воздействия позади, сделайте то, что вы уже умеете и неоднократно практиковали: посмотрите на любого постороннего человека и ощутите, что центр, расположенный
за вашей Аджна-чакрой, и его такой же центр — одно
и то же. Если отождествление прошло успешно, то можете продолжать. Теперь сосредоточьтесь на эмоциях и
желаниях, только уже не своих, а «мишени» — так вы
начнете проникаться ее эмоциональной сферой. Скорее всего, вы научитесь это делать уже в скором будущем и тогда сможете точно так же, как это делали с
намерением, помещать в сознание «мишени» свои желания.

Вы должны создать себе необходимый настрой и отождествиться с «мишенью». (Как это делать и какие упражнения использовать для тренировки, мы с вами уже
разобрали.) И в нужный момент вы «вталкиваете» в сознание «мишени» тот образ, который создали собственным сознанием.

Вы уже знаете, что желания и намерения «марионетки», как правило, диктуются влиянием энергоинформационной паразитической среды. Они вполне гармонируют друг с другом, а потому логичны и скоординированны. Это означает, что навеянное энергоинформационной структурой желание может быть удовлетворено
при реализации одновременно навеянного намерения.
Поэтому есть два варианта управления «марионеткой».
О первом мы уже упоминали. Он заключается в том, чтобы внедрить в ее сознание только желание. Так как намерение у нее осталось прежнее, заложенное еще пара-

зитическим энергоинформационным полем, то между желанием и намерением происходит конфликт, что неизбежно сказывается на поведении «марионетки». Наблюдая за нею, вы станете свидетелем ее хаотичных, суетливых действий — то есть вы можете с легкостью нарушить сосредоточенность человека и вывести его из вдохновенного состояния, служащего непременным залогом успешности действия. И если ваша «мишень», например, собралась произнести речь и повести людей за собой (хотя бы на производственном совещании или в споре на коммунальной кухне), то ничего у нее не выйдет!

Есть и другой вариант. Он несколько сложнее в воплощении, но результат его эффективнее. Суть его заключается в том, чтобы изменить как желание, так и намерение (далее мы будем проходить применение так называемых конструкций, и суть их тоже состоит в одновременном воздействии на желание и намерение). При этом действия «марионетки» будут благодаря вашему воздействию логичны, последовательны, продуманны и, если вы не возражаете против такого слова, красивы. Вам же, организатору всего происходящего, останется только любоваться ими, наблюдая за тем, как она реализует задуманные вами планы.

К примеру, вы пришли на рынок и собираетесь у конкретного продавца купить, допустим, помидоры. Товар действительно хороший, красивый, и продавец — сама любезность. Вы протягиваете ему для помидоров полиэтиленовый пакетик и с удивлением отмечаете, что вежливость торговца — лишь капкан для простаков, потому что обвешивает он всех поголовно, и довольно ощутимо. Вас, разумеется, тоже сейчас обвесит, если вы не примете мер.

Каковы могут быть ваши действия в такой ситуации? Конечно, можно в последний момент отказаться брать у него помидоры, походить по рынку в надежде найти такого продавца, который не обманывает. Да много ли в наше время таких? К тому же жульничает он, а убыток и беспокойство причиняется вам! С какой же стати вам так просто уйти? Иногда неплохо поставить рвачей на место.

Сделайте то, о чем мы только что говорили. Измените желание «мишени», то есть продавца. Подкиньте ему идею, к примеру, положить вам овощей в два раза больше по весу, чем вы просите. Если вы хотите стать свидетелем его странных, суетливых действий, а заодно выставить его в этом свете перед остальными торговцами, можете изменить только его желание. Оно вступит в противоречие со старым намерением продавца вас обвесить, и этот конфликт забавно отразится на его поведении (то ли он ошибется в подсчетах, то ли у него все будет валиться из рук, то ли он будет краснеть и мямлить — но эффект будет, и презабавнейший). Если же вы дорожите своим временем и находиться в обществе этого человека вам неприятно, сработайте жестче: измените и намерение, и желание. Очень быстро он положит вам в пакетик интересующий вас товар и в нужных количествах, будет с вами предельно вежлив, улыбчив, а если вы того захотите — даже деньги с вас взять откажется. В конце концов, товара у него много, почему бы не угостить хорошего человека!

Желания людей, в меньшей степени подверженных воздействию паразитической энергии, изменять намного легче и производительнее, чем желания «марионетки». Происходит это по той причине, что желания всегда возникают спонтанно, выполняются, как правило, быстро и критически никак не оцениваются.

К примеру, захотелось вам съесть мороженое. Если у вас не болит горло и вы не боитесь перебить себе аппетит — вы идете и покупаете его. Или же не покупаете, если по какой-то причине вынуждены от него воздержаться. Но вы никогда не станете мучить себя долгими и бессмысленными размышлениями типа: «А с чего это вдруг мне захотелось мороженого?» Обычный человек — сам себе хозяин, и поэтому для него естественно стремление удовлетворить каждое свое желание. Отсюда и замечательное изречение: «Желания нужно удовлетворять по мере их возникновения».

«Марионетка» же реализует свои желания вынужденно (вернее, не свои, а своей паразитической среды). То, что она думает и чувствует, описать достаточно сложно, но в общем и целом можно сказать следующее. Она руководствуется не столько принципом «я хочу», сколько положением «так надо, так должно быть». Действует она при этом совершенно сознательно, так как привыкла к таким приказам извне. В обычной жизни «марионетка», помимо некоторой самоуглубленности, отличается также упрямством. О человеке — «марионетке» паразитических энергоинформационных структур часто говорят, что он живет в своем, изолированном от других мире, и общаются с ним, кстати, почти исключительно такие же «марионетки», люди его клана. Достучаться до такого человека практически невозможно, так как его сознание ограничено влиянием паразитического поля.

По сравнению с обычным человеком человек-«марионетка» в большей степени углублен в себя и свои ощущения, несколько зациклен на них. Простой же человек, как правило, на них особого внимания не обращает — живет ради выполнения своих желаний, совершенно автоматически подгоняя под них свои намерения.

Теперь, когда вы умеете манипулировать человеческими желаниями и намерениями, можно начать отрабатывать новый прием — комбинацию намерения и желания. Прием этот позволяет влиять на ситуацию комплексно, не вдаваясь в тонкости внутреннего мира «мишени». Он очень хорошо подходит для относительно неглубокого, но действенного контроля.

*Система навыков ДЭИР*
*ступень III*

## Шаг 11. Использование конструкций для управление чужим сознанием

Сочетание намерения и желания называется конструкцией. Конструкция — один из базовых элементов человеческой психики. Ее роль чрезвычайно велика не только в процессе осознания человеком его желания, но и на последующем затем этапе выработки логически обоснованного плана действий.

Разумеется, намерение и желание — эти два элемента психической машины головного мозга — тесно взаимосвязаны. Давайте попробуем их осознать сами для себя на конкретных примерах — ведь мы с вами изучаем не мертвую теорию, но учимся манипулировать сознанием на том уровне, на котором знакомы с ним от рождения, а именно изнутри (вот этого еще не делала ни одна система в мире!).

Скажем, вы торопитесь на работу, вам нужно побыстрее попить чаю и выходить из дому. На плите стоит закипающий чайник. У вас возникло *намерение* схватиться за него, но тут же оно пришло в конфликт с *желанием* избежать контакта с ним, так как в последний момент вы осознали, что он может обжечь вам руку. В итоге вам пришлось встать и идти за прихваткой, которую вы раньше отложили за ненадобностью в сторонку.

Или другой пример. Вы намереваетесь поспать подольше: уж больно устали за прошедший день. Сладко потягиваясь в постели, вы вдруг осознаете, что ваше сегодняшнее опоздание на работу будет уже не первым, а так как вы желаете еще продолжать трудиться в той же организации и получать зарплату, то вы все-таки заставляете себя встать, а намерение отоспаться переносите на выходные.

С другой стороны, если у вас отсутствует стартовое намерение, то желание выливается просто в смутное томление или заканчивается неясной тревогой. Подобные ситуации часто случаются с каждым из нас (помните расхожую шутку: «Чего-то хочется, а кого — не знаю?»). Как правило, к этому приводит усталость, которую люди в большинстве случаев не умеют предотвратить. Дело в том, что при усталости возникновение намерения тормозится. (По этой причине нужно стремиться организовывать свою жизнь так, чтобы усталость посещала вас как можно реже: уметь должным образом обеспечить себе и работу, и отдых.) Сам же человек чувствует себя дискомфортно, так как его желание, нарастающее полным ходом, не находит реализации. Причина же внутренней дисгармонии, как правило, не осознается.

Иногда к этому могут привести даже положительные в общем и целом эмоции. Скажем, в течение трех недель вы прекрасно проводили время на южном побережье. Но под конец начинаете испытывать что-то вроде неясного томления. Казалось бы, чего вам не хватает, ведь все так хорошо! Вы загорели, поели фруктов, каждый день подолгу купались в море. Про работу и слышать не желаете и, приступив к ней, очень долго не можете втянуться в обычный жизненный ритм. Вам чего-то хочется, но чего именно, вы не осознаете. Вы просто устали отдыхать (и бездельничать). Вот намерение работать вас вовремя и не посетило — по причине вульгарной усталости. Как видите, намерение и желание между собой связаны теснейшим образом, и от того, насколько четко вы умеете использовать и то и другое, зависит ваше умелое овладение таким инструментом управления, как конструкция. В вашем распоряжении следующие базовые разновидности конструкций: закрепляющая, подавляющая, отменяющая и заменяющая. Давайте начнем с первой.

*Шаг 11а. Техника использования закрепляющей конструкции.* Закрепляющая конструкция служит для того, чтобы укрепить в чужом сознании ту или иную мысль. Например, в голове у человека возникла идея, которая вам выгодна (при этом совсем не важно, вы ему ее подали или он сам ею проникся). Эта идея может быть им принята, а может — и нет. Ситуации эти, согласитесь, очень распространенны. Каждый день мы решаем проблемы, связанные с поездками, покупками, времяпрепровождением и т. д. И каждый раз, оказываясь перед фактом принятия решения, мы задаемся приблизительно такого типа вопросами: «Стоит ли покупать эти так настойчиво предлагаемые зимние сапоги? Действительно ли они такого хорошего качества, как о них говорят, и не многовато ли за них просят?» или: «Надо ли идти с этим мужчиной в театр, если стоит отличная погода и можно съездить с другим поклонником за город?».

Такие вопросы — иногда важные, иногда не очень — вам приходится решать почти каждый день в процессе общения с людьми. К этому приводит любой спор, выяснение отношений, обмен мнениями. Иногда они ничего существенного в вашей жизни не решают, иногда происходит так, что из этих мелочей складывается жизнь.

К примеру, вы — коммерческий агент, предлагаете хороший, качественный товар. Но рынок, как известно, сейчас переполнен и за потребителя приходится бороться. Вы разговариваете с директором магазина (или, в зависимости от особенностей вашей работы, просто с потенциальным покупателем) и видите, что он колеблется, взвешивает все «за» и «против» и что на его решение сейчас может повлиять все что угодно, и если оно окажется не в вашу пользу, то вы на неопределенное время (до следующей сделки, а когда она еще будет!) останетесь без денег. Вы за ним внимательно наблюдаете (а ваши возможности включают и непосредственное подслушивание его мыслей) и вдруг видите, что на мгновение у него возникла мысль последовать вашему совету. Вам срочно нужно что-то предпринимать, потому что момент для воздействия как нельзя более подходящий. Если в эту минуту вы подадите в сознание «мишени» позитивное желание, как вы это уже умеете, то этим самым вы закрепите возникшее намерение и получившаяся конструкция начнет свою работу.

Конечно, в наиболее серьезных случаях вы можете «запустить» действие конструкции, развив намерение самостоятельно (или поддержать его своим воздействием, если оно недостаточно сильное). Как это делается, вы уже знаете. Правда, разумнее все это делать не в два этапа (вызвали намерение — занялись желанием), а, что называется, в одно касание. Как вы помните, намерение в сознании «мишени» лежит значительно глубже желания. Сначала, на глубоком уровне, вы внедряете намерение, а затем, удаляясь из сознания «мишени» на более поверхностный уровень, видоизменяете желание.

При этом не забудьте, что мыслеобраз желания обязательно включает в себя образ конкретного результата. Стало быть, если вы — коммерческий агент, не забудьте, что именно должна захотеть купить у вас ваша «мишень» из всего предлагаемого вами товара, когда и на какую сумму. Если же вы упустите хоть один из важных элементов, в действиях «мишени» возникнет растерянность, а это вам сейчас совсем не нужно. В подобных ситуациях закрепляющая конструкция — оперативный и надежный способ воздействия на окружающих.

*Шаг 11б. Техника использования отменяющей конструкции.* Отменяющая конструкция служит для того, чтобы не допустить совершения «мишенью» определенных действий. Если воспользоваться предыдущим примером взаимоотношений между коммерческим агентом и покупателем, то вы можете, почувствовав намерение «мишени» отклонить ваше предложение, прикоснуться к ее сознанию в момент возникновения нежелательного для вас намерения и внедрить негативное желание. В данном случае намерение (отклонить предложение) и внедренное вами негативное желание (отменить намерение) вступят между собой в противоречие. Как вы помните, если есть намерение и оно вступает в противоречие с желанием, то намерение остается нереализованным. Стало быть, начнет происходить именно то, что вам нужно: ваш покупатель не сможет вам отказать в приобретении товара.

Конструкция эта, начиная работать, запускает в подсознание целый комплекс реакций, направленных на активное уклонение от конкретного действия. В данном случае вам (то есть коммерческому агенту) нужно избежать отказа в заключении намеченной сделки.

*Шаг 11в. Техника использования подавляющей конструкции.* Подавляющая конструкция используется тогда, когда вам нужно, чтобы ситуация сама собой сошла на нет. В этих случаях, как правило, нелогично пользоваться отменяющей или тем более закрепляющей конструкцией. Они эффективны в тех вариантах, когда от человека нужно добиться каких-то действий. Подавляющая же конструкция используется в ситуациях прямо противоположных, когда какого-либо развития событий надо избежать.

Приведем следующий пример. Вы едете в транспорте без билета. (Ситуация, знакомая абсолютно каждому горожанину и, кстати говоря, подчас возникающая по вполне объяснимым причинам, с которыми, к сожалению, кондукторы, а тем более контролеры не очень-то хотят считаться. В нее периодически попадают все, даже самые дисциплинированные люди.) Представим следующую картину: вас «засек» контролер и требует штраф. Ему не приходится мучиться в принятии решения брать или не брать штраф. Естественно, брать — ведь он этим живет. Следовательно, ни отменяющую (негативное желание и намерение действия), ни закрепляющую (позитивное желание и намерение действия) конструкции использовать вы не можете.

Итак, что вы будете делать в этой ситуации? Варианты — заплатить штраф, или идти в милицию в случае отсутствия денег, или, еще круче, устроить скандал на весь вагон — отбросим: не для того мы с вами изучаем приемы управления окружающими. Давайте зададимся вопросом: какова ваша цель в данной ситуации? В общем-то, она вполне конкретна: контролер должен от вас отстать, не получив желаемого штрафа. Если учесть, что многие люди успешно выкручиваются из подобных положений каждый день, овладеть некоторыми приемами вам-то уж тем более не составит никакого труда.

При создании подавляющей конструкции вы можете действовать двумя способами. Первый заключается в том, чтобы модифицировать желание «мишени», направив его на другой результат, но сохранив при этом общий знак: позитивность или негативность. Под «позитивностью» и «негативностью» понимается внутреннее согласие действовать или отказ от действия. К примеру, подкиньте контролеру желание что-нибудь перекусить (как видите, позитивность знака сохраняется). Очень может быть, что ваше желание будет отчасти созвучно его собственному, и тогда он откликнется на ваше «предложение» почти с радостью. Вы сможете пронаблюдать, как он, к удовольствию таких же пассажиров, как вы, махнет на вас рукой, выйдет из вагона и направится к ближайшему ларьку.

Используя второй способ, вы можете прикоснуться к «мишени» своим полем и переменить намерение. К примеру, изменить намерение вас оштрафовать на другое — оставить вас в покое. К тому же и причина налицо: денег у вас, по всей видимости, нет, а вести вас в милицию — себе дороже выйдет, ведь вы не последний «заяц» в его жизни.

При использовании как первого, так и второго способа «мишень» редко завершает принятую ею программу действий. Происходит это потому, что человек не может действовать из неискренних для самого себя побуждений. Ведь вы меняете в данной ситуации что-то одно: либо желание, либо намерение. Для получения четкого, ярко выраженного результата этого недостаточно. Правда, он вам и не очень нужен: чтобы погасить развитие проблемы, вполне достаточно и такого.

Но вам тем не менее стоит помнить, что действия «мишени» будут неорганизованны, непоследовательны и не завершены. Поэтому будет лучше, если вы, несмотря на недостаток времени, сможете услышать внутреннее состояние «мишени» и подсказать человеку такую идею, которая бы гармонировала с его истинными проблемами, но не имела отношения конкретно к вашей ситуации. К примеру, вы уловили, что он немного голоден, — помогите ему осознать его желание покушать. Если видите, что он одинок и страдает от этого, подкиньте ему желание познакомиться с рядом сидящей девушкой и т. д. В таких случаях ваше воздействие с использованием подавляющей конструкции будет значительно эффективнее.

*Шаг 11г. Техника использования заменяющей конструкции.* Последняя, заменяющая конструкция нужна для полной трансформации ситуации в сознании «мишени». Состоит она из поданного вами намерения и созвучного ему желания. Из этого следует, что из всех вышеперечисленных конструкций эта будет наиболее эффективна и потребует, хотим мы этого или нет, большего мастерства. Здесь же нельзя не сказать об одной сложности: немотивированное желание чаще всего проходит логическую проверку, и поэтому его нужно будет отдельно мотивировать. Сделать это можно будет самостоятельно (хоть высказать вслух) и уже после этого внедрить заменяющую конструкцию, которая уже и запустит подсознательный механизм своей реализации, связав его с предложенной ситуацией.

К примеру, у вас есть возможность продвинуться по служебной лестнице, и вы знаете, что вполне этого заслуживаете. Но у вашего начальника другое мнение на этот счет: ему бы хотелось повысить в должности близких ему людей. Используйте заменяющую конструкцию: измените его желание и намерение в вашу пользу, не забыв предварительно создать им мотивацию, — и очень скоро все увидят вас в новом качестве. Для мотивации желания используйте настоящие, реальные причины, по которым вы вполне оправданно претендуете на новое место. Когда в сознании у «мишени» осел мотив будущего поступка, можете запускать в действие саму конструкцию.

Таковы основные приемы управления базовыми мыслеформами человеческого сознания. Они — весьма надежное средство для оперативно-тактического контроля над людьми. Их коренное отличие от грубого управления заключается в том, что они влияют на подсознание «мишени», благодаря чему работают достаточно длительное время после прекращения воздействия. На деле, как правило, они движут человеком до тех пор, пока не исчерпают сами себя, то есть пока не выполнена заложенная в них программа и не достигнут интересующий вас результат. Привыкайте пользоваться полученными навыками. Кроме сиюминутных выгод, которые они могут вам принести, владение этим искусством позволит вам разрабатывать свои планы на совершенно ином уровне, чем планы обычного человека, и ставить перед собой качественно иные цели.

В перспективе вам, разумеется, могут понадобиться еще более длительные результаты воздействия. На данный момент вы уже владеете необходимой для этого базой. Инструмент для этого также есть: это сознательно сгенерированные программы. Эта техника по своей сути имеет много общего с уже имеющимися у вас навыками применения мыслеформ. Но поскольку мы с вами все дальше продвигаемся вперед, а не топчемся на месте, то и овладение этой методикой потребует некоторых усилий. В общем-то, с некоторыми простыми программами вы могли бы справиться уже сейчас. Но мы все же рекомендуем вам заниматься составлением и внедрением программ уже после того, как вы окончательно освоитесь с мыслеформами.

Связано это с тем, что неумелые попытки пользоваться программами чрезвычайно утомительны. Вы будете тратить на них много времени и сил, а результаты будут оставлять желать лучшего. Согласитесь, это всегда неприятно. Поэтому всему свое время. Но если вы уже достаточно уверенно пользуетесь мыслеформами, то настоятельно рекомендую вам привыкнуть пользоваться программами, так как теперь они способны сберечь вам массу времени и сил.

# Глава 4

# Техники длительного действия — программы для сознания человека

Теперь, когда вы полностью освоили применение мыслеформ, перед вами встала новая задача — овладеть техникой применения программ. В предыдущей главе мы уже упоминали о программах, из чего вы, должно быть, сделали вывод об их чрезвычайной важности и эффективности в использовании. Сразу же предупреждаю вас о том, что программы — самый сложный вопрос, рассматривающийся в данной книге. Окончательно разобраться в нем можно только при постоянных тренировках.

Один из наиболее частых вопросов, на которые мне приходится отвечать, таков: сколько времени уйдет на овладение программами? К сожалению, человеческая натура устроена так, что, мы, преследуя ту или иную цель, боимся перетрудиться. Решая вопрос о том, надо нам что-то сделать или нет, мы обычно задаемся вопросом: а каких усилий это потребует и стоит ли игра свеч? В применении программ, как в изучении иностранного языка, пределов для совершенствования не существует. Тренироваться и отшлифовывать полученные навыки вы можете постоянно, хоть до конца жизни. Но все дело в том, что по мере овладения нашей методикой вы перестанете относиться к этому процессу как к обучению. Для вас применение программ станет своего рода философией, мировоззрением, новым взглядом на жизнь. Поймите раз и навсегда, что наше учение — не набор каких-то конкретных навыков, которые можно получить за какие-то считанные дни, а потом, за ненадобностью, забыть; эти приемы очень скоро станут частью вашей жизни, будут влиять на нее и облагораживать ее. И если вы освоите их по-настоящему, вы уже никогда не захотите с ними расстаться. Они будут вам надежным спутником в течение всей вашей жизни.

Приведем следующий пример. Вам по работе нужно было научиться печатать на пишущей машинке. Вы походили две недели на ускоренные курсы, потом закрепили полученные навыки в процессе работы и уже недели через три достаточно быстро печатали. Через полгода вас перевели в другой отдел, где была профессиональная машинистка, и через несколько месяцев от ваших навыков машинописи мало что осталось: они почти забылись, так как вы не поддерживали их. Вас этот факт нисколько не огорчил: нужно будет — вспомните. Но при всем этом ни получение этих, в общем-то, полезных навыков, ни их утрата на вас как на человека совершенно не повлияли — вы остались таким же, каким и были.

В нашем же случае с системой ДЭИР все обстоит по-другому. Даже если вдруг случится невероятное: вы в совершенстве овладеете нашей методикой, а затем неожиданно для себя перестанете ее использовать (попадете, к примеру, на необитаемый остров или ваше окружение станет настолько идеальным, что вмешательство будет просто неуместно), эти знания никогда вас не покинут. Чисто технически вы что-то, может быть, и подзабудете, что не составит никакого труда вспомнить самостоятельно. Но ваше мировоззрение останется прежним. Не говорю уже о том, что сама суть этих знаний навсегда останется в вашей душе, вашей памяти, и вы всегда будете осознавать себя человеком, способным творить, менять по своему желанию души и умы окружающих.

Из того, что было сказано, вовсе не вытекает, что процесс овладения программами бесконечно длительный. При благоприятных обстоятельствах вы сможете стать свидетелем собственного успеха очень скоро. Ваши достижения будут в первую очередь зависеть от того, насколько хорошо вы усвоили материал первой книги и укрепили собственную энергетику, насколько хорошо вы решили все свои внутренние проблемы, связанные с новым эволюционным этапом (мы говорили об этом в предыдущей, второй, книге), а также научились приемам пассивного и активного управления окружающими, изученным вами сравнительно недавно. Если со всеми предыдущими этапами вы справились успешно, можете быть вполне уверенными в том, что дела у вас пойдут как по маслу.

Очень скоро вы сможете воздействовать на людей рефлекторно — это войдет у вас в привычку. Применение программ будет для вас столь же естественно, как поздороваться со знакомым человеком, даже с тем, кого вы не очень любите. При этом сохраняться ваша программа будет месяцы и даже годы. Вы станете тайным ваятелем человеческих душ, будете свидетелем того, как люди под вашим легким воздействием абсолютно искренне делают то, что другой бы не мог заставить их совершить и из-под палки. Нет ни одной области человеческой жизни, которая могла бы стать для вас недосягаемой. Вы сможете давать окружающим установки на здоровье, счастье, любовь. Вы же будете ощущать себя человеком, способным гармонизировать не только свою жизнь, но и сделать окружающих вас людей в чем-то лучше и счастливее.

Итак, что же такое программа для человеческой психики? Современные ученые, изучающие деятельность человеческого мозга, приходят к следующему выводу: мозг человека по своему функционированию действительно очень схож с компьютером. Сравнение это, возможно, не всем понравится, но, используя его, мы вовсе не пытаемся каким-то образом принизить человека, лишить его чисто человеческой уникальности и во всем уподобить машине. Мы имеем в виду только некоторые аспекты деятельности мозга (мы сейчас разберем примеры, и вам станет понятно, что я имею в виду). Кроме того, если знать, какие элементы анализировать, то механическая природа сознания станет совершенно ясной. К тому же, как известно, наше внутреннее Я далеко не ограничивается нашими интеллектом, эмоциями, чувствами и т. д. Мы с вами все это уже знаем и поэтому никоим образом не пытаемся посягнуть на истинное ядро человеческой души (оно, то самое чувство Я, которое вы уже научились ощущать, еще никем не изучено). Давайте же разберемся с тем, что подразумевается под сравнением человеческого сознания и компьютера.

Вы наверняка замечали, какую роль играет в вашей жизни настрой на те или иные события. Так, если вы даете себе определенную установку на что-то, к примеру, на успех, удачу или, наооборот, на провал, то эта ваша установка неизбежно сработает. Можно даже сказать категоричнее: большая часть того, что происходит с вами в вашей жизни, — и плохое, и хорошее — так или иначе допускается вами или даже планируется. Происходит это потому, что вы сами или же под воздействием каких-либо энергоинформационных полей программируете совершение в своей жизни тех или иных событий (еще раз настоятельно рекомендую вспомнить материал предыдущей книги).

Еще в XIX веке было замечено, что раненые солдаты побеждающей армии выздоравливают быстрее, чем солдаты с такими же ранениями, но армии отступающей. Происходит это потому, что первые горят энтузиазмом снова вернуться на фронт, так как знают, что их участие приносит отечеству избавление от врагов. У них имеется установка на скорое возвращение в строй. В их сознании работает конкретная программа, требующая от них полной отдачи собственных сил для достижения определенного результата — освобождения родной земли от захватчиков. Замечено было также и то, что, несмотря на самые ужасные условия, с которыми солдатам приходилось мириться (холод, плохое питание, отсутствие элементарных бытовых удобств), органические заболевания встречались в армии очень редко. Происходило это потому, что психика человека возникновение таковых не допускала. В ней была заложена программа на физическое здоровье, и все, что зависело от конкретно ее функционирования, она ему обеспечивала. Как видите, определенное сходство с компьютерными программами налицо. Ее запускаешь — и она работает. Но защитить человека от негативного воздействия извне, например: предательства, ранения, произвола старших по званию — она не могла. А если и могла, то в очень незначительной степени. Это касается тех случаев, когда человек неосознанно применял те приемы, которые мы с вами уже научились использовать.

Однако программа для человеческой психики значительно сложнее. Ее не удастся просто написать, а потом ввести с клавиатуры. Тем более оказывается она сложной, если вы создаете ее не для себя, а для постороннего человека, которым хотите управлять. Вы, зная методику управления системы ДЭИР, уже понимаете, что эту программу, планируя успешный исход дела, вам придется внедрить в сознание вашей «мишени», пользуясь только вам доступными энергоинформационными методами. Давайте сначала выясним для себя, что представляет собой эта программа и как ее можно создать.

## ТЕОРИЯ ПРОГРАММ ДЛЯ СОЗНАНИЯ ЧЕЛОВЕКА

Как вы поняли из приведенных выше примеров, программа — это ваша собственная мысль в действии. Цель ее — осуществление какой-либо конкретной задачи. Программа включает в себя четыре элемента. Каждый из них вы должны сами отчетливо осознавать, иначе будет невозможно внедрить их в сознание «мишени».

Итак, первый элемент — это описание или *характеристика ситуации* или проблемы, с которой вы столкнулись. Создавая его, вы должны отчетливо представлять себе всю ситуацию, которую будете впоследствии внедрять в сознание «мишени». Она должна быть яркой, конкретной и однозначной для восприятия.

Второй элемент — это *мотивация* для действия. Она включает в себя обоснованную причину ваших последующих действий и напрямую вытекает из ситуации, в которой человек оказался.

Третий элемент — *образ (или энграмма) действия*, к которому привели характеристика ситуации и мотив к действию. Он также должен быть ярким и однозначным. Если вы сами будете находиться в растерянности и замешательстве, то этим же будут отличаться и действия человека, на которого вы воздействуете.

И последний, четвертый элемент — *результат вашего действия*, то есть все то, что вы планируете достигнуть, решив ту или иную проблему.

Давайте для примера разберем поэтапно элементарную программу, одну из тех, которую вы прорабатываете сами ежедневно.

Допустим, ваш ребенок болен, у него сильный кашель (это — первый элемент, характеристика ситуации, в которой вы оказались). Мотивом для ваших дальнейших действий (вторым элементом программы) служит то, что вы хотите его лечить. При этом вы не знаете точно, что с ним, насколько серьезно он болен. Следующее ваше действие (это третий элемент) — вызов врача на дом. А результат, которого вы планируете достичь с помощью лечения, — здоровый, активный ребенок и обретенное вами спокойствие.

Или другой пример. Вы заблудились в лесу (ситуация). Мотив для действия — ваше желание из него выбраться, так как дома вас ждет семья, которая скоро начнет волноваться, а кроме того, завтра утром вам нужно быть на работе. Вы уже представляете, как ваши домашние, разыскивая вас, обращаются в милицию, обзванивают все больницы и морги. Затем ваше воображение переносит вас на работу, и вы отчетливо представляете себе, как будете выглядеть в глазах сотрудников и строгого начальства, рассказывая всем, переминаясь с ноги на ногу, какой лес был темный, как вас угораздило отстать от своей компании и сколько страху вы натерпелись.

Мотивация в данном случае по силе своей энергетики может значительно превысить все остальные элементы программы и тем самым свести саму программу на нет. Вы можете быть настолько обеспокоены случившимся, что у вас возникнут серьезные проблемы с выработкой энграммы действия. Не случайно говорят, что если человек чего-то очень сильно хочет, стремится к чему-то до безумия, то это что-то оказывается для него неосуществимым. Мой совет в данном случае следующий: нужно снизить значимость мотивации действия и только затем приступать к следующему этапу программы. Это одно из основных правил составления и использования программ.

Итак, вы в лесу. Придется предпринимать какие-то действия. Каждый человек, оказавшийся в такой ситуации, действует по-своему. Кто-то пытается сориентироваться по компасу или по солнцу, кто-то прислушивается к звукам, свидетельствующим о наличии неподалеку шоссе, железной дороги или других людей, и идет на эти звуки; кто-то изо всех сил стремится докричаться до своих. В любом случае человек пытается выработать какую-то энграмму действия или нескольких действий, если того требует ситуация. Таким образом составляется третий элемент программы. И все это в надежде получить определенный результат (четвертый элемент): вернуться домой вовремя и прийти на работу как ни в чем не бывало.

Эти программы могут быть элементарными, совсем простыми, создаваемыми автоматически по двадцать раз на дню, не требующими никакого осмысления ситуации и выработки планов. А могут быть и посложнее, как в примере с человеком, заблудившимся в лесу или даже еще сложнее. Если речь идет о решении какой-то непростой жизненной проблемы, создание программы может занимать неограниченное количество времени. Как вы в дальнейшем убедитесь, самое сложное в ней — это третий элемент, энграмма действия. В этих случаях человек не знает, что именно нужно делать для достижения результата. Понятно, что если хотя бы одного элемента не хватает, то и программы как таковой нет и, естественно, запущенной в действие она быть не может.

Обратите внимание на тот факт, что в тех случаях, когда все четыре элемента программы налицо, она срабатывает как одна мысль. Человеческому сознанию нет никакой надобности дробить ее на элементы. Это нужно нам с вами, да и то временно, чтобы понять механизм ее действия. Если уже все ясно, то она воспринимается вашим сознанием как нечто единое.

Но как только эта программа отчетливо вами осозналась, перед вами возникла сразу же другая дилемма — запускать ли эту программу в действие или не запускать. При этом надо отметить, что готовые программы достаточно часто по той причине не запускаются в действие, что они проверяются, в зависимости от ситуации, либо намерением, либо желанием. Эта проверка не входит собственно в программу, но совершенно неизбежна — и потому очень важна.

Для наглядности вернемся к первому нашему примеру: заболел ребенок. Если вы не желаете (негативное желание) брать больничный лист, вы постараетесь не вызывать врача, а справиться домашними средствами: витаминами, горячим молоком, перцовым пластырем и обратитесь к нему только в самом крайнем случае. Если же для вас было бы очень даже неплохо посидеть несколько дней дома (на работе ваши больничные листы никого не раздражают, а дел дома накопилось много, что требует вашего присутствия) — вы вызовете врача не колеблясь (позитивное желание). Играет также роль уже выработанное намерение — пойти или не пойти к врачу. Если вы всегда в подобных ситуациях склонны не доверять здоровье своего ребенка случаю, то, скорее всего, этот принцип — всегда обращаться к врачу — не подведет вас и сейчас. Вы обязательно обратитесь к врачу, даже если очевидной необходимости в этом нет, и сядете на больничный. Если же вы в принципе не намерены этого делать, то, вероятнее всего, будете лечить ребенка домашними средствами.

Из этих примеров вы наверняка поняли, что такое программа, как она работает и, самое главное, какую роль она играет в жизни человека. Овладение нашей методикой дает возможность беспредельно расширить сферу своего влияния в общественном и личном планах. Так как большая часть нашего успеха в жизни основывается на том, насколько хорошо мы умеем находить контакт с окружающими, для вас практически не будет существовать ситуаций, которые бы вы не могли повернуть в свою пользу.

У программ есть одно немаловажное преимущество по сравнению с уже изученными вами приемами: их применение лишено каких-либо побочных эффектов, таких как ощущение давления или контроля у «мишени». Программы эти совершенно естественны и не вызывают у человека ни малейшего отторжения. Как вы помните, даже при воздействии базовыми мыслеформами, требующими изменения сознания «мишени», вы в половине случаев вызывали у своей «мишени» чувство растерянности и дисгармонии. Человек, пусть даже это «марионетка», склонен в той или иной степени анализировать происходящее, и поэтому ваше воздействие может быть хоть и достаточно долгим для того, чтобы вы могли реализовать свои планы, но не бесконечным.

Программы же, по сравнению с мыслеформами, предполагают очень тонкое воздействие на подсознание «мишени», они органически вписываются в ее внутренний мир и не вызывают его дисгармонии. Однажды мы спросили молодого человека, которого в лечебных целях пришлось подвергнуть воздействию мыслеформ, о том, почему он повел себя таким неожиданным для себя и для окружающих образом; было ли его поведение вызвано его личностными особенностями, или в эти неожиданные для него и окружающих минуты что-то выбило его из обычной колеи, и если да, то что именно (о том, в какие моменты производилось воздействие, ему, разумеется, сказано не было). По его словам, в эти минуты он все время испытывал какое-то непонятное чувство, что-то вроде «оборонительного стремления освободиться от чего-то такого, что непонятным образом вселилось в душу и стало жить в ней помимо его воли». Освободиться ему, естественно, не удалось. Мыслеформа сработала безошибочно. Но несмотря на то что с того момента прошло уже достаточно много времени и само воздействие уже давно закончилось, у молодого человека это ощущение из памяти не стерлось.

Достоинство программ состоит также в том, что их можно применять, пользуясь совершенно различными методами — энергетическим и вербальным. Первый метод заключается в непосредственном вторжении в сознание «мишени» (в этом состоит основное сходство с воздействием мыслеформами). Вербальные методы применяются в словесной форме. В этом случае вам потребуется овладение особыми приемами, скажем, приемом голосового режима (о нем мы подробно будем говорить в следующей главе) и некоторыми другими.

Применение программ в словесной форме отнюдь не ново, оно в течение веков оттачивалось цивилизацией. Вы сами неоднократно сталкивались с тем, как влияло на ваше поведение и, более того, на ваше мировоззрение общение с тем или иным человеком. Наверняка в вашей жизни были люди, которые пусть не вечно, но какой-то определенный период оказывали на вас неограниченное влияние. При этом то, что они вам говорили, далеко не всегда отличалось от того, что вы слышали от других людей. Просто те, другие, не могли подобрать ключ к вашей душе, а эти — смогли. Другие могли внушать вам то же самое или, наоборот, совсем противоположное, но все, что шло от них, совершенно не задевало вас за живое.

Почему за одним человеком люди пойдут куда угодно, считая его своим лидером, а за другим, призывающим к тому же, — нет? Почему у одной учительницы музыки ваш ребенок не только плохо занимается, но и вообще демонстрирует отсутствие каких-либо музыкальных способностей, а у другой — и способности откуда ни возьмись появляются, и трудолюбие заодно с ними? Ответ на эти вопросы вы, наверное, угадали: эти личности умели совершать иногда осознанное, иногда — нет воздействие на окружающих; люди вокруг них становились живым воплощением их идей и стремлений.

Применение программ обычно прячется под завуалированными терминами «ораторское искусство», «дипломатия», «психология общения». Но мы с вами должны все расставить на свои места. Ведь за этими словами прячутся приемы контроля со стороны чужой психики, которым мы подвергаемся в нашей жизни ежедневно. Однако действительного совершенства эти приемы достигнуть не могли именно в силу своей завуалированности. В рамках системы ДЭИР, слава Богу, все ориентировано правильно. В этой главе мы с вами рассмотрим программы, подразумевающие манипуляцию посторонним сознанием, а в следующей — чисто поведенческие и словесные приемы, которые принесут вам массу пользы.

Итак, вы уже знаете, что такое программа и какую роль она играет в процессе воздействия. Как же она составляется и как можно вмешаться в ту или иную программу?

*Система ДЭИР*
*ступень III*

## Шаг 12. Составление программ для чужого сознания

На начальных этапах обучения применению программ практически невозможно пользоваться только энергоинформационными методами. Вызвано это тем, что учитывать всю совокупность и взаимосвязь образов, привычных для внутреннего мира «мишени», чрезвычайно сложно. Поэтому сейчас мы не будем рассматривать ситуации, когда воздействие на окружающих происходит только при помощи энергетических методов.

Примите к сведению только тот факт, что, несмотря на очевидную сложность, такое воздействие вполне возможно, но не сейчас. Осуществимо это в том случае, если вы будете постоянно совершенствовать технику заимствования образов из сознания вашей «мишени» и благодаря постоянным тренировкам разовьете в себе нечто вроде полной телепатии и умение непосредственно контролировать других людей. На данном же этапе нашего обучения это невозможно.

Поэтому на практике используются несколько вариантов комбинированного воздействия.

*Первый вариант* заключается в том, что программа формулируется на словах; при этом осуществляется ее энергоинформационная поддержка на уровне желания.

Давайте для примера разберем программу, воплощение которой поможет в следующей ситуации. Допустим, в доме закончились продукты и вам нужно кого-нибудь из ваших ленивых членов семьи отправить в магазин. Полюбовно договориться не удается (муж традиционно лежит на диване, читая газету; старшая дочь болтает по телефону с приятелем, вы же заняты младшим сыном и из дому выйти не можете). Они все пребывают в спокойной уверенности за свои желудки, так как стопроцентно убеждены в том, что вы что-нибудь придумаете и как-нибудь из этой ситуации выкрутитесь. При этом

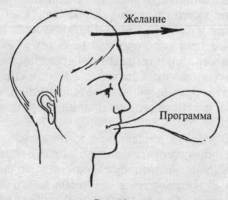

Рис. 13.

внешне все выглядит так, как будто обед нужен только вам и есть в этом доме тоже хотите только вы. Вам остается либо устроить крупный скандал и вызвать тем самым всеобщее раздражение, либо самой идти в магазин, после чего вам сядут на шею еще крепче, либо — третий вариант — умело использовать технику манипулирования кем-нибудь из ваших домашних. Думаю, теперь вы предпочтете последнее.

Для начала выберите того члена семьи, от которого в решении данного вопроса будет больше толку. Если ваша дочь к хозяйству не приучена, то, скорее всего, выбор падет на супруга. Затем сформулируйте программу на словах, не упуская ее элементов. Выглядеть она может приблизительно так: «В доме закончились продукты. Нам с тобою и детям нужно что-то есть. Сходи в магазин и купи чего-нибудь существенного, чтобы было, чем пообедать». В том случае, если вы вполне доверяете кулинарному вкусу вашего супруга, можете не уточнять в программе, что именно он должен купить: он купит го, что ему самому больше нравится. Если же у вас имеются некоторые сомнения по поводу того, как он истратит деньги, перечислите ему все, что он должен купить, досконально: мясо, рыбу, сыр, масло, яблоки и т. д.

Формулируя программу, вы даете одновременную энергоинформационную поддержку программы на уровне желания. К примеру, внедрите в сознание вашего мужа желание вкусно поесть («ХОЧУ говяжьей печенки под майонезом с картошкой»). Внедрять желание вы уже научились, с этим у вас проблем не будет. И уж что-что, а печень и картошку он вам принесет, даже если придется не в один магазин заскочить. В этой ситуации намерение действия вырабатывается «мишенью» самостоятельно и действие, как правило, происходит немедленно.

*Второй вариант* воздействия заключается в том, что на словах формулируется только образ действия, при этом происходит энергоинформационная поддержка его результата. В нашем случае энграмма действия — «сходить в магазин за продуктами»; остальную часть про-

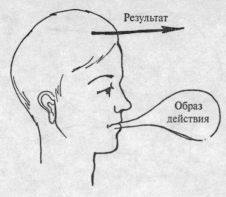

Рис. 14.

граммы вам проговаривать не нужно. Произнеся отчётливо третий элемент программы, осуществите мощную энергоинформационную поддержку ее результата — вкусно пообедать. Хорошо, если она несет в себе элемент желания, по сути своей совпадающего с результатом. В этом случае образ результата будет использован сознанием вашего мужа («мишени») в качестве обстоятельства для выработки желания. Намерение действия тоже является продуктом деятельности его психики.

Этот вариант вызывает несколько замедленную реакцию по сравнению с предыдущим: проговариваете вы лишь один элемент из всей программы, поэтому «мишень» слишком многое должна прояснить в своем сознании самостоятельно. Однако этот способ имеет и некоторые преимущества. Во-первых, он экономит силы воздействующего (для женщины, совмещающей ведение домашнего хозяйства с работой, или мужчины, замученного важными делами, это немаловажно); а во-вторых, этот способ более органично, чем в первом случае, вписывается в сознание «мишени», ведь мотивация действия принадлежит ей самой.

*Третий вариант* заключается в формулировании на словах образа действия и одновременной мощной энергетической поддержки намерения этого действия. Он может быть очень эффективен в отношениях с сослу-

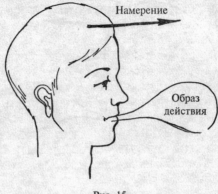

Рис. 15.

живцами, до которых обычным способом не достучать-ся. Поэтому при всех производственных сложностях со-ветуем применять его

К примеру, у вас имеются интересные идеи, планы, осуществление которых помогло бы вам и вашим сослу-живцам значительно увеличить ежемесячные доходы. Но вы знаете, что единственное условие, при котором вам удастся их протолкнуть, — это ваше продвижение по службе. Продвигать же вас начальство не особенно хо-чет: у него есть другие, более «нужные» кандидатуры. Что вы можете сделать в данной ситуации? Естествен-но, используя не какие-то грубые методы воздействия, которые на данном этапе вашего развития себя уже ис-черпали, а программы. Скорее всего, вы можете «помочь захотеть» вашему начальнику повысить по служебной лестнице не кого-нибудь, а именно вас. И в этом жела-нии он должен быть предельно искренним. В этом слу-чае вам обеспечено длительное и успешное пребывание в новой должности. Вы формулируете на словах третий элемент программы. К примеру: «Хочу получить долж-ность заведующего отделом маркетинговых исследова-ний» (или какую угодно другую). При этом осуществ-ляете мощную энергоинформационную поддержку на-мерения действия. Внедрять намерение, как, впрочем, и желание, вы уже умеете. В этом случае все мотивы для себя должна будет выработать сама «мишень», то есть ваш начальник — он сам для себя ответит на вопросы, зачем ему лично требуется вас повышать. При условии правильного выполнения этот вариант начинает работать почти сразу же Некоторая издержка состоит в том, что со стороны вашей «мишени» может возникнуть некоторое противодействие. Но происходит это далеко не всегда, так как при работе с «марионеткой», привыкшей к постоянному подчинению паразитическому энергоинформационному полю, это наиболее надежный способ. К тому же такой способ обращения вырабатывает в «мишени» привычку к подчинению. Ваш начальник формально может продолжать оставаться таковым, если вы не претендуете на его место, но на деле все чаще будет к вам прислушиваться и принимать все исходящее от вас за истину в последней инстанции. Естественно, в служебных отношениях это может быть весьма полезно.

**Четвертый вариант** состоит в словесном описании ситуации и мощном энергетическом мотивировании желания. Давайте для примера обратимся к уже разобранной нами сцене: женщина отправляет мужа в магазин за продуктами. Какой может быть характеристика ситуации в данном случае? Допустим, такая: «В доме совсем нечего есть!» Произнося вслух эти слова, вы должны обеспечить мощное энергетическое мотивирование желания.

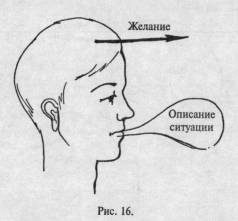

Рис. 16.

Оно останется тем же — вкусно поесть. Так как намерение вырабатывается сознанием «мишени» самостоятельно и вы не упоминаете об остальных составляющих вашей программы, то результата нужно будет немножко подождать, ведь ваша «мишень» должна «созреть» для ожидаемого от нее поступка. Впрочем, если вы не совсем еще умираете с голоду, какие-то 10—15 минут роли не сыграют! Зато впоследствии ваш муж будет сохранять полное и глубокое убеждение: все, что он сделал, — плод его личной, никем не спровоцированной заботы о любимой семье.

*Пятый вариант*, несколько силовой, заключает в себе сочетание конструкции и энграммы действия. Из содержания предыдущей главы вы знаете, что конструкция включает в себя комбинацию намерения и желания. В нашей ситуации вы можете внедрить в сознание «мишени» (мужа) желание мощным рывком преодолеть голод и соответствующее ему намерение. Как вы помните, в связи с использованием конструкции у «мишени», как правило, возникает неясное ощущение тревоги или потерянности. Как только вы поймаете своего мужа на том, что он по собственному желанию встал с дивана, стал ходить из угла в угол, как будто что-то потерял, спросите его, чем он обеспокоен и не хочет ли выйти на свежий воздух развеяться, а заодно и в магазин за-

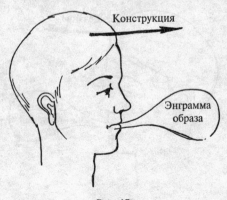

Рис. 17.

скочить — и себе приятно, и домашним польза. **Как и в предыдущем случае, «мишень», несмотря на некоторое беспокойство на начальном этапе воздействия, не отмечает никакого давления с вашей стороны. Наоборот, вам будут только благодарны за вовремя подсказанную мысль:** ведь таким образом вы помогаете заполнить ощущение пустоты, неожиданно охватившее «мишень».

*И последний вариант, шестой.* Он заключается в формулировании на словах результата программы, ее четвертого элемента, и мощной энергетической поддержки намерения. Для примера воспользуемся все той же ситуацией. Итак, результатом действия должна быть вкусная еда. Четко сформулируйте его. К примеру: «Сделаем-ка очень вкусный обед». При этом энергетически обеспечьте возникновение намерения. В этом случае образ результата будет использован сознанием «мишени» в качестве условия для выработки желания. Этот способ, как правило, не сразу вызывает реакцию, но хорошо вписывается в сознание «мишени», ведь мотивация действия — сходить в магазин — принадлежит ей самой.

Такова общая техника применения программ. Мы рассмотрели шесть вариантов их технического использования. Может возникнуть вопрос: какой из перечисленных способов применять на деле? Очень скоро вы бу-

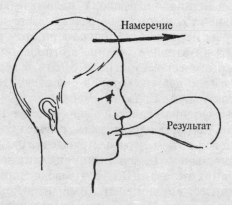

Рис. 18.

дете без особого труда это определять. Сама ситуация вам это подскажет.

Мы специально продемонстрировали вам все варианты на простейших примерах. Независимо от того, насколько сложна проблема, которую вы хотите решить, принцип работы программы всегда одинаков. И начинать, естественно, лучше с простых ситуаций, характеристика которых и описание действия состоят из одного компонента. В дальнейшем, с приобретением опыта, вы сможете решать и другие, более сложные проблемы. На данном этапе вы уже свободно пользуетесь своей энергетикой, и по этой причине у вас уже есть очень многое из того, что для человека с обычным бытовым мировоззрением недостижимо. У своего окружения вы пользуетесь неизменным авторитетом, но вам нужно большее: чтобы программы, вживляемые вами в сознание других людей, держались как можно дольше — если надо, то и всю жизнь.

Все программы, о которых мы с вами будем говорить, отличаются одной немаловажной особенностью. Вы уже знаете, что в эффективной реализации и мыслеформы, и программы огромную роль играет желание. Особенность, о которой я говорю, заключается в том, что в качестве обстоятельства желания вы должны закрепить общее условие, которое будет созвучно с результатом действия — неважно, с положительным или отрицательным. К примеру, вы закладываете «мишени» программу на неудачу в действиях. При этом вам нужно заложить негативное желание в отношении его цели на энергетическом уровне и задать в вербальной форме ту самую цель, к которой она стремится, пусть даже и позитивную. Сложно? Ничуть!

Допустим, один из ваших близких родственников собрался ехать отдыхать на Кавказ, где сейчас неспокойно. Никакие доводы о том, что в настоящее время это делать небезопасно, на него не действуют: он едет с друзьями и не хочет от них отставать. Вы же, здраво оценивая ситуацию, стремитесь ему помешать. Вариант действия программой следующий. На словах вы ему говорите: «Да, тебе обязательно нужно съездить на Кавказ, там очень красиво, климат прекрасный, да и возможности такой может больше не быть». Но сами слова «съездить на Кавказ» сопроводите внедрением мощного негативного желания. В результате все его дальнейшие действия, направленные на осуществление сформулированной цели, будут носить непоследовательный характер и не увенчаются успехом. На физическом уровне это может проявиться в чем угодно: ваш родственник с компанией упустят момент, когда нужно будет купить билеты; или ему неожиданно предложат интересную и денежную работу, которую будет просто смешно променять на отдых; или, скорее всего, ребята сами передумают ехать туда, а выберут для спокойного отдыха что-нибудь другое. Вам же скажут, что новый вариант для них интереснее предыдущего или что-нибудь в этом духе.

Теперь, когда мы с вами разобрались с общей техникой создания и реализации программы, давайте рассмотрим различные варианты программ, используемых в тех или иных жизненных ситуациях. Я предлагаю рассмотреть семь их видов. Это те программы, которые используются в повседневной жизни чаще всего.

Разумеется, в реальной жизни их может быть неограниченное количество. Посудите сами: разные люди, ставящие перед собою разные цели, попадают, соответственно, в разные ситуации. Естественно, что продуцируемые ими программы одинаковыми быть не могут. И те семь типов программ, о которых мы с вами будем говорить сейчас, не могут претендовать на обеспечение полного контроля над окружающими. Но тем не менее это основные типы существующих программ. Освоив их, вы сможете беспрепятственно комбинировать применение одной программы с другой, в зависимости от  требований конкретной ситуации. Зная некоторые свои индивидуальные, личностные особенности, вы в скором времени сможете выбрать и довести до совершенства применение каких-то своих программ, составленных лично вами, ставших главными в вашем понимании.

Те же программы, которые мы будем разбирать с вами сейчас, условно можно разделить на позитивные, целью которых является осуществление какого-либо действия, и негативные, суть которых состоит в том, чтобы помешать задуманным планам «мишени».

Всего можно выделить **четыре позитивные программы.**

*Шаг 12а. Программа закрепления реакции.* Суть первой программы заключается в том, чтобы закрепить в сознании «мишени» реакцию на ваши действия или слова. Естественно, как и при использовании всех других типов программ, главное в ней — ее результат. Однако особенностью данной программы является то, что результатом является эмоциональная реакция «мишени».

Как известно, эмоциональное расположение к вам окружающих в большинстве случаев способствует вашему благополучию во всех жизненных сферах. Человек, пользующийся симпатией окружающих, скорее достигнет каких бы то ни было успехов в работе и в любви, чем не пользующийся таковой. Это может быть не очень приятно признавать, но факт остается фактом: ни талант, ни интеллект, ни трудолюбие с пробивными способностями не играют в жизни человека такой значительной роли, как умение нравиться людям. И чего только подчас не делается, чтобы добиться расположения к себе! Сколько подхалимов испокон веков вилось возле любого начальника или даже начальничка, стоящего подчас чуть выше остальных! Чувство собственного достоинства у них само собою куда-то исчезало, что в общем-то естественно: лишнее оно при данных обстоятельствах. Те же, кто ни на какие сделки с совестью никогда не шли, в большинстве своем вели предельно скромное существование и не могли ни на что претендовать.

Впрочем, всегда была и третья категория людей, не слишком многочисленная, но уж больно заметная в самом хорошем смысле этого слова. Психологи часто называют их «гениями общения». Всюду, где бы они ни появились, у них возникают дружеские или хотя бы приятельские связи. Все и всегда им рады и желают помочь.

И дело далеко не в том, что они всегда отличаются положительными человеческими качествами в классическом смысле этого слова или массой редкостных достоинств. Бывает даже наоборот. Однако людям они нравятся, потому что — осознанно или нет — они умеют вызвать и закрепить в человеке нужную для них эмоциональную реакцию на себя.

Так как общаться с людьми нам приходится абсолютно во всех жизненных ситуациях (за исключением тех случаев, когда мы оказываемся в полном одиночестве), то и применение этой программы может быть полезно всегда и везде. Я бы даже назвал ее основной, и по этой причине практиковать использование программ советую начинать именно с нее. Впоследствии, переключившись на другие виды программ, вы наверняка не откажетесь от нее, а будете отшлифовывать ее все больше и больше.

Как я уже сказал, применяется она во всех сферах человеческого общения — всегда, когда нужно прочно закрепить положительную реакцию на себя собеседника. Разумеется, если ситуация того требует, вы можете закрепить и отрицательную, скажем, неприязнь, раздражение, недоверие и т. д. Но это случаи исключительные, и мы их касаться не будем. Скорее всего, в ближайшим будущем они вам не понадобятся. К тому же принцип осуществления программирования от этого не меняется. Возьмем обычный пример. Вас предельно задевает тот факт, что при распределении премиального фонда руководство почему-то обходит вас стороной. Вы знаете, что работаете если и не лучше других, то уж однозначно — не хуже. При этом кое-кто получает значительно больше, чем положено, а вам не перепадает ничего. То, что вы временами задерживаетесь на работе, никем не замечается, что всегда вовремя или даже раньше срока сдаете отчеты и планы — тоже. При этом начальник всегда норовит подбросить вам работы еще. Очевидно, боится, что вы заскучаете. Вы не отказываетесь, но вас раздражает его откровенное равнодушие к вам как к сотруднику.

Что вы в данной ситуации можете сделать? Закрепить в начальнике положительную реакцию на вашу работу. Если ваш шеф воспринимает ваше ответственное отношение к труду как должное, вам, скорее всего, для начала придется эту реакцию у него вызвать. Если он до сих пор ничего против вас не имел и относился к вам нейтрально — сделать это будет несложно. Вам просто нужно будет заставить обратить на себя внимание и преподнести плоды своего труда в самом лучшем свете. Сделать это, учитывая ваш колоссальный опыт, — для вас сущий пустяк. Определитесь только в том, какую именно реакцию вы хотите закрепить: благодарность, радость, гордость за такого сотрудника, как вы, или что-то другое. В нашем случае вам, скорее всего, захочется ощутить его благодарность, выраженную в том числе и материально. Следовательно, целью программы будет закрепление реакции благодарности на вашу работу.

Для начала создайте программу, которую планируете внедрить в сознание своего начальника. Как вы уже знаете, она обязательно должна включать в себя четыре составляющие: характеристику ситуации, мотивацию для действия, энграмму действия и его результат (благодарность).

Технически данная программа запускается следующим образом. Всю составленную вами программу вслух проговаривать смысла нет. В качестве результата ситуации достаточно вслух проговорить четвертый элемент программы. К примеру: «Я буду предельно благодарен вам ...» Слово «Я» непосредственно оседает в подсознании «мишени» и начинает свою работу как относящееся именно к ней. То есть благодарность будет испытывать именно она. Сама же фраза: «Я буду благодарен вам» рассудком «мишени» воспримется как следствие вашего, а не ее желания кого-то отблагодарить. Поэтому она и внимания на нее не обратит. При этом вторую половину фразы: «...за отлично выполненную работу» вслух проговаривать, естественно, не надо, так как ваш начальник поймет, что из ваших уст звучание ее неуместно. Проговаривая четвертый элемент программы, подкрепите его мощным энергетическим внедрением позитивного желания. Это то, что при правильном подходе к делу должно обеспечить вам успех.

Как вы помните, в этой же главе мы с вами разобрали шесть вариантов чисто технического осуществления программирования. Данное программирование на закрепление реакции благодарности у «мишени» проведено с использованием шестого варианта, когда на словах формулируется результат ситуации и при этом дается мощная энергетическая поддержка желания  Конечно, техническое осуществление программы может быть любым. На мой взгляд, предложенное нами подходит больше всего, но вполне возможно, что у вас, когда вы освоитесь с применением данной программы, будет несколько другое мнение на этот счет. Зависеть ваш выбор будет от целого ряда причин, в первую очередь от того, в какой ситуации и с какими людьми вы окажетесь; какую информацию можно будет до них донести вербально, а какую — нет. Но в любом случае возможны варианты, и выбирать их вы будете по своему вкусу.

**Шаг 12б. *Программа полного доверия.*** Вторая позитивная программа заключается в том, чтобы вызвать у «мишени» некритическое восприятие ваших высказываний и поступков. Применение ее бывает очень полезно в ситуациях, когда вам нужно обеспечить себе полное согласие «мишени» со всем тем, что вы говорите и делаете. Причем, в отличие от предыдущей ситуации, согласие это должно быть основано не на положительном к вам отношении, а на том, что ваше предложение заставляет «мишень» по-настоящему с вами согласиться. Она в данном случае идет вам навстречу не потому, что как-то эмоционально реагирует на вас, а потому, что не может найти повод вам возразить. Она без малейшей логической оценки воспринимает все то, что исходит от вас.

Для примера используем ту же ситуацию, что и для разбора предыдущей программы. Уж очень хорошо она отражает сегодняшние финансовые проблемы, с которыми столкнулись большинство из нас. Внесем в нее лишь небольшие дополнения. Теперь мы осуществим управление с использованием уже другой программы и, соответственно, в другом техническом варианте. Этот пример поможет вам осознать, насколько переплетаются между собой все программы по своим функциям, а заодно понять некоторую условность их разграничения: ведь, как вы уже догадались, разные по своей сути программы могут использоваться в аналогичных ситуациях.

Пример опять же коснется распределения финансов. На сей раз внесем некоторые дополнения. Дело происходит в бюджетной организации. И если случилось так, что вы, читатель, работаете в одной из них, то проблема окажется вам очень близкой. Основная масса сотрудников в ней, в том числе и вы, страдаете от низкой заработной платы. В это же время начальство кормится денежными поступлениями от многочисленных коммерческих структур, с которыми сотрудничает ваша организация. Но до рядовых сотрудников эти деньги, естественно, не доходят, а оседают в карманах руководства. И в этой ситуации само начальство не упустит случая упрекнуть вас в том, что вы плохо работаете, иногда опаздываете и т. д. Ваши же доводы о том, что за такую зарплату вообще смешно на работу ходить, на директора впечатления не производят. В этих обстоятельствах вы совершите вполне оправданное воздействие на руководителя, закрепив в его сознании необходимость улучшить материальное положение сотрудников, регулярно помогая им выдачей премии (или назовем это материальной помощью). Сам бы он, естественно, никогда бы до этого не додумался.

Технически программу проводить следует так. Вам нужно будет сначала проговорить образ действия и его результат, добавив при этом необходимую доверительную формулу типа: «Для вас очень важно в этой ситуации... к примеру, заручиться поддержкой коллектива» или: «Вам очень поможет в решении данного вопроса материальная заинтересованность ваших коллег».

Образ результата, составляющий вербальную основу программы, может быть следующим: «вам нужно 80 процентов средств, полученных от коммерческих структур, отдавать сотрудникам». (Не стоит думать, что эта цифра завышена до невозможности. Вы вполне заслужили этих денег и должны суметь постоять за свои интересы. Здесь все зависит от мощности и искусности вашего воздействия. Более того, именно такую пропорциональность в 1997 году удалось провести в жизнь Василию Г., обучавшемуся на наших курсах.) Созданный в сознании начальника результат действия сопроводите мощным внедрением образа намерения. Если ситуация того требует, закрепите в его сознании также и причину: «Иначе все поувольняются, а организацию закроют; и будешь ты сам себе директор». Несколько повторений этой ситуации — и ваш директор очень скоро станет прислушиваться к вашим советам, причем не только в финансовых вопросах, но и во всех остальных. В итоге это приведет к тому, что фактическим директором вашей конторы станете вы; он же будет числиться таковым только на бумаге. С чем вас и поздравляем.

*Шаг 12в. Программа на готовность помочь.* Смысл следующей программы, третьей, с которой мы с вами ознакомимся, заключается в обеспечении готовности вашей «мишени» вам помочь. Согласитесь, что овладение ею позволит вам успешно выйти из любой, самой сложной ситуации, где бы вы ни оказались. Актуальность этой программы особенно повышается в тех случаях, когда на помощь вообще рассчитывать не приходится.

В какой-то степени данная программа по своему смыслу перекликается с программой, направленной на закрепление эмоциональной реакции на ваши действия и слова. Разница в том, что эта программа ставит более конкретные цели, осуществление которых в большей степени ощутимы физически. Согласитесь, ведь закрепление такой реакции, как благодарность — в случае, рассмотренном нами, или какой-нибудь другой — радости, симпатии, например, — возможно, создает определенную почву для того, чтобы люди вам при случае помогли. Но наличие у человека симпатии по отношению к вам или радости от одного вашего присутствия еще не гарантирует того, что он бросится помогать вам при одном намеке на просьбу. Он может к вам очень хорошо относиться, но у него могут быть другие планы. Но бывает также и наоборот: к вам относятся прохладно, но тем не менее не отказываются при случае помочь.

Именно такую цель мы и ставим сейчас, разбирая с вами эту программу: вы должны уметь при любых обстоятельствах добиваться от окружающих необходимой поддержки. Согласитесь, что возможность в любой момент заручиться помощью окружающих вас людей — это значительно лучше, чем добиваться того же результата, но с использованием денег или связей. Причина все та же: в вашем случае люди действуют искренне, а не из желания что-то от вас получить. Следовательно, поддержка, оказываемая вам, значительно надежней.

В данном случае вы проговариваете вслух желательную для себя энграмму действия и его результат. При этом энергоинформационная поддержка должна прийтись на четвертый элемент программы — результат. Применение этого приема, основанного на вашей энергоинформационной поддержке, заставляет «мишень» вырабатывать собственное желание и намерение. Ваша цель становится для нее подсознательным условием для реализации ее желания. Давайте разберем ситуацию, на которой было бы отчетливо видно действие этой программы на готовность помочь.

Для наглядности вот вам пример. События, о которых я вкратце расскажу, произошли в семье моих хороших знакомых, где мать семейства, умная и энергичная женщина (назовем ее Галина), неплохо владела техникой внедрения программ. Однажды ей неожиданно для самой себя пришлось применить эти навыки не на ком-нибудь, а на собственных домашних. Дело в том, что у них в семье очень остро встал жилищный вопрос. В трехкомнатной квартире их обитало уже семь человек. К тому же обстоятельства усугублялись тем, что скоро брат Галины собирался жениться и молодую жену привести в свой дом. Семья у них дружная, и каждому новому человеку там, безусловно, рады. Но, как известно, впоследствии в молодой семье возможно пополнение, и тогда жильцов в квартире стало бы уже не восемь, а девять. Конечно, лучше в тесноте, чем в обиде, но все-таки должны же быть какие-то пределы! Все родственники, в том числе и брат-жених, это понимали. Нужно было срочно что-то предпринимать, а что — никто не знал. В результате все смирились с происходящим, не видя абсолютно никакого выхода.

А выход был, и вполне реальный. Только нужно было поднапрячься, чего влюбленному молодому человеку совсем не хотелось. Подобный выход из положения уже нашли их соседи по даче. Они отстроили еще один загородный дом, не очень шикарный, правда, но денег, которые они выручили от его продажи, им вполне хватило для улучшения жилищных условий.

Брату Галины, руки у которого, как говорят, золотые, было бы совсем несложно за несколько месяцев отстроить средних размеров дом. Помимо того, что он многое умел сам, ему ничего не стоило сколотить бригаду из приятелей, которые бы могли за символическую плату в очень короткие сроки завершить строительство. Впоследствии этот дом, правда, нужно было еще суметь выгодно продать, но уж это бы мать семейства взяла на себя.

Проблема заключалась только в одном: нужно было заставить брата, совершенно не верящего в эту «глупую аферу», взяться за дело. Кроме него, из всех членов семьи этого действительно сделать никто не мог. И его все-таки удалось сподвигнуть на строительство дома. Сделано это было следующим образом.

Как уже было сказано, для технического осуществления программы рекомендуется сформулировать на словах третий и четвертый элементы программы. Они могли быть следующими: «Нужно построить хорошую дачу и затем продать. Этим мы расширим нашу жилплощадь» (был возможен также другой результат: «Осуществим выгодный обмен»). При этом была оказана параллельная энергоинформационная поддержка на результат.

Это энергетическое воздействие обеспечило выработку собственного позитивного желания и намерения. В итоге цель Галины увеличить жилплощадь стала для ее брата подсознательным условием для реализации лично его желания. По своей сути оно, естественно, целиком и полностью совпадало с целью.

Догадался ли молодой человек об этой манипуляции? Разумеется, нет. Он был уверен, что сам до всего дошел. Но самое смешное то, что Галина как-то сама ему об этом рассказала: думала проверить его реакцию. А он оскорбился, потому что не поверил ни в какое воздействие. Подумайте сами: человек принял решение взяться за такое грандиозное дело, ухлопал на него столько времени и сил, а когда все закончилось, ему дают понять, что он в этом деле — только пешка! Дабы не ссориться, настаивать на своем Галина не стала.

*Шаг 12г. Программа на усиление решимости.* Теперь поговорим о последней позитивной программе, четвертой. Суть ее заключается в том, что она усиливает решимость «мишени». Она, как вы сможете сами в этом убедиться, является наиболее легкой по сравнению с уже разобранными. Вызвано это тем, что используется она главным образом в тех случаях, когда вся основная часть работы с «мишенью» либо уже проведена, либо изначально не требовалась. Вам нужно лишь помочь конкретному человеку добиться того, против чего он и так выступать не намерен.

Технически программа осуществляется следующим образом. Для того чтобы запустить ее в действие, вам нужно проговорить вслух все ее четыре составляющие и сделать при этом отдельное энергетическое подтверждение на результат.

К примеру, вашего сына не сегодня-завтра заберут в армию, чего вам бы по некоторым причинам искренне не хотелось. Ребенок у вас домашний, болезненный, к жесткому обращению не привыкший. К тому же ситуация в стране на данный момент такова, что ваш ребенок может домой и не вернуться. Поэтому осуждать вас за подобное стремление может только совершенно далекий от нашей действительности человек. Вы не приемлете для себя каких-либо противозаконных методов решения данной проблемы. К тому же вы бы хотели, чтобы ваш сын продолжил учебу. Это также избавило бы его от службы. Польза от успешного поступления в институт была бы двойная: и для юного ума хорошо, и для материнского сердца спокойно. И все, казалось бы, уже решено в вашей семье, все шаги продуманы, да вот только ваш оболтус не очень-то хочет учиться. Он прекрасно понимает важность сложившейся ситуации, клянется, что вскоре возьмется за ум, сам переживает, но после уроков, однако, бежит играть в футбол, а не садится заниматься математикой, которую ему нужно будет сдать на вступительных экзаменах как минимум на четверку.

Сейчас уже поздно рассуждать о том, чего вашему ребенку не хватает — желания учиться, способностей, или же он у вас просто бесхарактерный и дворовая компания им управляет как хочет. Обо всем этом нужно было думать раньше. Сейчас для вас главное одно: если вы не примете срочных мер, вашего домашнего, к тому же не очень здорового ребенка заберут в армию. Вероятность того, что после армии он сможет получить какое-то образование, очень небольшая: уж чего-чего, а способностей к мыслительной работе во время службы у него навряд ли прибавится.

Надежный способ решения проблемы в данной ситуации — применение программы, направленной на усиление решимости «мишени». Вы проговариваете вашему сыну всю программу; звучит она приблизительно следующим образом: «Тебя, учитывая твои успехи в учебе, могут забрать в армию (1-й элемент программы). Тебе нужно этого избежать (2-й элемент). Поступи в институт (3-й элемент) и получи отсрочку (4-й)».

Главное в этой программе, как мы уже сказали, — сделать энергетический акцент на результат. Даже если намерение и желание «мишени» были совсем слабенькими изначально, под влиянием вашего воздействия они очень быстро разрастутся, и ваш сын если не способностями, так упорством своего обязательно добьется.

Теперь разберем негативные программы. Суть их использования заключается в том, чтобы изменить ход развития событий, то есть вмешаться самым откровенным образом в планы вашей «мишени». Мы рассмотрим **три негативные программы**. На наш взгляд, они наиболее часто используются и у начинающих вызывают особый интерес.

*Шаг 12д. **Программа на невмешательство, или «уступи дорогу».*** Первой из этих негативных программ дадим условное название «уступи дорогу». Она используется в тех случаях, когда на пути воздействующего становится человек, осознанно или нет мешающий ему осуществлять свои планы. Этим человеком может быть кто угодно — и ваш коллега по работе, и член вашей семьи, и случайный прохожий, и водитель, не желающий уступить вам дорогу, когда вы переходите улицу, и многие другие, кто так или иначе принял решение с вами соперничать, вместо того чтобы просто жить на условиях взаимного уважения и компромисса. Используя эту программу, вы сможете справиться с любым соперником.

Достоинство метода заключается в том, что он позволяет нейтрализовать противника, не вступая с ним в открытую борьбу. Для «марионетки», привыкшей к подчинению энергоинформационным сигналам, данный прием оказывается совершенно безболезненным. Она просто уходит, уступает вам дорогу, для себя логически обосновывая собственные действия личными причинами. Как и в использовании предыдущих программ, она не ощущает ни малейшего давления и подчиняется вашей воле неосознанно. Поэтому успешное освоение этой программы позволит вам значительно расширить свои возможности абсолютно во всех сферах вашей жизни. Приведем элементарный пример использования данной программы.

Как известно, редко обстоятельства складываются настолько благоприятно, чтобы на пути к успеху кто-нибудь да не встал. В большинстве случаев это соперник (соперница), выражающий всем своим поведением агрессивную форму зависти. Он может вам осознанно вредить, делать и говорить гадости и в глаза, и за глаза. Цели у вас, скорее всего, во многом совпадают, иначе бы вы с ним не столкнулись. Разница же в том, что у вас и у него совершенно разные средства достижения этой цели. Поскольку в данный момент вы уже находитесь на совсем другой ступени развития в отличие от него, вы в большей степени ограничены выбором средств (мы имеем в виду нравственную сторону вопроса), нежели он Ведь согласитесь, то, что возможно для него, иногда со вершенно неприемлемо для вас. Скажем, злостные ин триги, сплетни, откровенная грубость и ложь — да про сто на большинство из этих методов даже жалко тратить время! Но у вас есть более совершенное средство — воз действие программами. В частности, программой, на правленной на обеспечение добровольного выхода ва шей «мишени» из игры.

Мой приятель Дмитрий, начавший обучение ДЭИР меньше года назад, успешно используя эту программу, отвоевал у соперника любимую женщину — недавно была свадьба. У данной конкретной пары все сложилось как нельзя лучше; по крайней мере, именно такое впечатление они производят на окружающих сейчас. Как будет дальше — увидим. Но нужно иметь в виду одну очень немаловажную деталь при решении вопросов лич ного плана с использованием данной программы. Я специально останавливаюсь на этом вопросе подробно, так как практика показала, что особенно часто эта программа применяется мужчинами и женщинами в решении проблем «любовного треугольника».

Разумеется, подобное воздействие допустимо. Особенно если второму ухажеру не повезло. Так было в случае с моим приятелем. У женщины этот поклонник взаимностью не пользовался. Но ей в принципе нравилось привлекать к себе мужчин и вызывать в них симпатию по отношению к себе. Это ей вполне удавалось. Издержка была во всем этом только одна: подобный успех у противоположного пола безумно раздражал моего приятеля. Но так как женщина того, другого, не любила, то Дмитрий со спокойной совестью его устранил: чтобы одна не забавлялась, а второй не злил.

Именно в отношениях внутри сложившегося треугольника вам и нужно хорошо разобраться перед тем, как применить эту программу в любовных целях. Помните, что в данном случае вы находитесь с противником не один на один, как обычно, — вы связаны с третьим человеком и потому должны уважать его выбор, даже если вдруг случится, что на сей раз вам не повезет.

Технически программа осуществляется следующим образом. Если конкурент мешает вам только в каком-то конкретном деле, то вы на словах формулируете ту цель, к которой стремится ваш соперник. Она, к примеру, может быть следующей: «Тебе нужно добиться расположения N». При этом на энергоинформационном уровне закладываете усложненную конструкцию. Состоять она должна из вашего образа (это, пожалуй, главное), а также негативных желания и намерения отказаться от действия, в котором человек вам мешает (или от нескольких действий, где вперед продвинуться планируете вы). Это при правильном использовании должно вызвать обратную реакцию и отбить у вашего соперника желание к действию в области ваших интересов (в том числе ухлестывать за вашей возлюбленной).

Если же конкурент встал вам буквально поперек горла и мешает не в каком-то конкретном деле, а абсолютно всюду, то вам нет смысла апеллировать к какой-то конкретной цели. В этом случае вам нужно, чтобы у него просто выработалась привычка всегда обходить вас стороной и не вмешиваться ни в какие ваши дела. Говорите о чем угодно, болтайте вволю. В это время для вас главное — держать собеседника в поле зрения, добиваться его внимания к себе. Разговаривая с ним, на энергоинформационном уровне опять же заложите усложненную конструкцию — ту самую, о которой мы только что говорили — собственный образ и желание отказаться от действия.

Для успешного воплощения задуманного вам может потребоваться несколько повторений. Это вполне естественно, потому что «мишень» вынуждена будет самостоятельно выработать для себя мотивацию всех последующих своих поступков. Но наберитесь терпения, и в дальнейшем у «мишени» всегда — при столкновении или даже просто при встрече с вами — будет возникать желание уступить вам дорогу.

Помимо ситуации, которую мы сейчас разобрали в качестве примера, у вас наверняка возникает огромное количество проблем, связанных с тем, что люди мешают вам неосознанно. В их планы совсем не входит стоять у вас на пути, соперничать с вами; они живут себе и живут. Им просто не до вас, и поэтому они не замечают небольших неудобств, которые вам причиняют. Вы же в подобных ситуациях даже обижаться на них права не имеете.

Разумеется, в самых легких случаях с человеком можно просто обо всем переговорить, и, если он ничего против вас не имеет, он наверняка пойдет вам навстречу.

Если же у вас откровенные проблемы с установлением здоровых взаимоотношений с окружающими, советуем вам почаще использовать позитивную программу № 1. Постарайтесь отшлифовать ее как можно лучше. Скорее всего, есть серьезные основания сохранить ее в вашей памяти именно под таким названием: «Программа № 1». Как мы уже сказали, она является своего рода базовой программой. Умелое ее применение освободит вас от многих лишних хлопот.

И все-таки, если так случилось, что ничего не подозревающий человек стоит на вашем пути и не думает уступать вам дорогу, а нехватка времени не позволяет вести с ним какие-либо переговоры, вы также можете воспользоваться программой «уступи дорогу». Ее применить будет даже проще, поскольку человек не собирается с вами соперничать. К примеру, ваша сотрудница уже 20 минут занимает служебный телефон отнюдь не служебными разговорами. Можно, конечно, сказать ей прямо, но уж больно она обидчива. Ситуация же из раза в раз повторяется: как нужно срочно позвонить, так ваша Лиза «висит» на телефоне. Используйте эту же программу, и результат будет налицо: у девушки у самой пропадет желание разговаривать, и она уступит вам телефон.

Никакому человеку не нравится, когда ему делают замечания, даже если заслуженно. При помощи программы «уступи дорогу» вы можете этого избежать. Вокруг вас всегда будут царить мир и взаимопонимание.

*Шаг 12е. Программа на прекращение действия.* Теперь разберем вторую негативную программу. Смысл ее заключается в том, что вам нужно добиться возникновения у «мишени» отвращения к осуществляемому действию. Она очень часто используется в ситуациях, когда вам нужно заставить человека прекратить что-либо делать. Эта программа относится к числу наиболее частых в применении. Я бы сказал, что по частоте использования она следует сразу же после программы, направленной на закрепление эмоциональной реакции.

Ее популярность вполне объяснима. Согласитесь, ведь вокруг нас огромное количество людей делают то, что нам не только не нравится, но иногда буквально выбивает из колеи. К примеру, ваши соседи считают для себя возможным в час ночи смотреть телевизор, включив звук на всю катушку. Ваш сын все свободное время (и несвободное тоже) проводит в компьютерных играх. Ваш супруг (или с тем же успехом супруга) может засесть на кухне и в течение двух часов курить сигарету за сигаретой, почитывая при этом любимый журнал; квартира же после такого «отдыха» затягивается дымовой завесой, либо он (она) так прилипает к телефону, что оторвать его (ее) можно только известием о пожаре или потопе... Впрочем, это еще мелочи. В жизни каждого из нас бывают ситуации куда более неприятные, и их решение иногда требует неотложных мер.

Конфликтовать при решении как простых, так и сложных проблем было бы неразумно. Самим этим процессом, конечно, можно вызвать отвращение, но не столько к действию, сколько лично к вам. Вообще любое силовое воздействие, как вы уже знаете, имеет множество побочных эффектов и пользы приносит мало. Именно поэтому вы сейчас читаете эту главу, а не довольствуетесь уже изученными грубыми формами управления. Значительно лучше, если человек сам отказывается от того или иного пристрастия, привычки или просто от совершения конкретного нежелательного поступка. Причем так, чтобы не было искушения приняться за старое. На данный момент вам подобное управление вполне по силам.

Давайте попробуем использовать эту программу в ситуации, в какую мы попадаем чуть ли не ежедневно, покупая продукты. Нас обвешивают, причем злостно: иногда на четверть веса и более. К примеру, возле вашего дома есть ларек, в котором вам удобно покупать овощи и фрукты. Расположен он очень удачно: буквально в трех минутах ходьбы от вашей парадной, и товар там, как правило, неплохой. Все бы вас устроило, да вот только женщина, отпускающая товар, постоянно вас обманывает. И скорее всего, не только вас. Вы наверняка пробовали в таких ситуациях применять грубые приемы воздействия. Помогало? Если да, то только на разок. Забудешь применить — придешь домой в очередной раз обманутый.

Давайте внедрим в сознание продавщицы программу, направленную на возникновение отвращения к обвешиванию. Этим вы совершите очень полезный поступок не только для себя, но и для всех жителей ближайших домов.

Осуществляется такая программа следующим образом. Обычно закладывается негативное желание в отношении цели, которую нужно достичь. Вы формулируете результат действия и подкрепляете его негативным желанием. В нашем случае цель — это прекращение обмана покупателей. Но все дело в том, что вербально выразить ее вам будет сложно. Согласитесь, комично будет звучать фраза: «Не обвешивайте меня на четверть веса». Поэтому в вашем случае и во всех других, когда вы вербально не можете дать отрицательный результат действия, давайте положительный. Только тогда его нужно будет сопроводить не негативным, а позитивным желанием. К примеру, результат действия может звучать так: «Положите мне ровно полтора килограмма помидоров, не больше, но и не меньше». На энергоинформационном уровне посылаете «мишени» сильное желание сделать то, что вы сказали. Это означает, что она должна положить вам определенный вес, а не тот, который она захочет. Даже если у продавщицы соответствующим образом отрегулированы весы и какие-то мгновения ее будет тормозить привычка обманывать, очень скоро она оправится от замешательства и взвесит вам ровно столько, сколько нужно.

Недостаток этой программы заключается в том, что срабатывает она, как вы поняли, не сразу. Вызвано это главным образом тем, что ваша «мишень» должна будет выработать у себя, помимо негативного намерения, также и логическое обоснование собственного нежелания отказаться от действия (а то с чего бы эта продавщица собственные прибыли будет упускать?). Ведь она не сможет не заметить резкой перемены собственного настроения. Так что не удивляйтесь ее некоторому замешательству — длиться оно будет не так уж долго. Сама она, правда, никаким образом с вами его не свяжет: будет уверена, что сама в силу некоторых причин пришла к такому решению. Два-три таких воздействия — и от вредной привычки жить за чужой счет ее можно будет избавить навсегда.

После второго или третьего запуска, как мы уже сказали, программа включится в действие на всю катушку. Подсознание «мишени» обязательно подскажет разуму какую-нибудь причину нового поведения. Скажем, рано или поздно ей надоест выяснять отношения с покупателями, часть которых возвращала товар и требовала назад деньги. Или вскоре после вашего воздействия ее тоже кто-нибудь обманет подобным образом, и сопутствующие этому реакции создадут логически обоснованное отторжение того, чем она сама не так давно занималась.

***Шаг 12ж. Программа на угасание интереса.*** Третья негативная программа, последняя из всех, что мы рассматриваем в рамках системы ДЭИР третьей степени, используется в ситуациях, когда воздействующему необходимо погасить интерес человека к тому или иному вопросу. По своей сути она имеет много общего с уже рассмотренной нами программой на возникновение отвращения при действии. Отличие ее заключается в том, что она выполняет не такую радикальную функцию: она должна вызвать не принципиальное неприятие того или иного действия, как в предыдущей программе, а только лишь равнодушие к нему. Поэтому эта программа является менее энергозатратной, чем предыдущая; следовательно, если в силу некоторых причин вам приходится беречь энергию, а ситуация не требует прямого вмешательства, советуем вам пользоваться ею.

Программа на угасание интереса — одна из так называемых «нерадикальных», профилактических программ, когда вам нужно помешать не какому-то событию, которое вот-вот произойдет в вашей жизни, а лишь развитию определенных тенденций, способных к нему привести. Вы сами прекрасно понимаете, что перед тем, как совершить то или иное действие, человек длительно готовится к нему. Как правило, он в нем искренне заинтересован; ведь интерес, как мы с вами знаем, — главный стимул на пути продвижения к успеху. Внедрять программу следует так.

Проговорите вслух все четыре элемента программы, сопроводив ее при этом сильным импульсом намерения отказаться от действия. В связи с тем, что намерение внедряется вами в сознание «мишени» в момент полного рассмотрения психической программы, — намерение отказаться от действия оценивается «мишенью» некритически и принимается. Так что по прошествии нескольких циклов рассмотрения проблемы «мишень» всегда будет завершать рассуждения тем самым негативным намерением и постепенно потеряет к делу интерес.

Возьмем для примера распространенную бытовую ситуацию. Ваш муж последнее время зачастил в коман-

дировки. Ездит он туда охотно, начальству даже угова-
ривать его не приходится. И возвращается оттуда какой-
то подозрительно отдохнувший и посвежевший. К тому
же посещает он все время один и тот же город, вернее —
по сравнению с Петербургом или Москвой — городишко, в котором ничего интересного и быть не может. Но
это, правда, на ваш взгляд, скорее всего, ошибочный. А
какой интерес там у вашего супруга... Об этом вы, как
всякая чуткая женщина, догадываетесь, но окончательно узнать откровенно боитесь. И с ужасом думаете о том
моменте, когда однажды любимый муж раскроет перед
вами все карты и ваша семья распадется. Конечно, возможно и то, что вы ошибаетесь, но чем сидеть и выжидать, чем все закончится, лучше потушить костер в самой начальной стадии возгорания.

Когда-то вы радовались его поездкам: они приносили определенный доход. Но теперь вам, естественно, уже
не до него. Вслух вы начинаете сетовать: каждый раз, когда он уезжает, вы остаетесь с детьми одна; без строгой
поддержки отца справляться с ними вам становится все
тяжелее; они озорничают, уроками почти не занимаются; к тому же в доме давно уже нужно делать ремонт, а
без мужских рук это нереально — следовательно, он
опять откладывается. В таком духе вы можете продолжать довольно долго, но толку это не принесет никакого. Потому что муж ваш желает ехать туда, а не слушать
ваши жалобы. Он целует вас на прощание, со знанием
дела говорит о том, что все это — не проблема, уезжает,
не желая даже, чтобы вы его проводили.

Естественно, пока дело не приняло непоправимый
оборот, вам нужно погасить его интерес к вашей сопернице. (Конечно, это касается только тех женщин,
которые способны прощать и стремятся сохранить семью любой ценой, либо слепо влюбленных мужей — в
строго симметричной ситуации с женой.) Если вам ваша задача удастся, муж со своей стороны сделает все
возможное, чтобы убедить вас в следующем: ему ужасно надоели командировки, особенно в этот город, такой маленький, что там и посмотреть нечего, поэтому

туда он больше не поедет. Если вы не пожелаете травмировать его своими догадками, вы согласитесь с ним и поверите ему (или сделаете вид).

Технически программа осуществляется следующим образом. Как только ваш муж объявит об очередной командировке, проявите к нему как можно больше участия. Побеседуйте с ним о его планах, связанных с этой командировкой, о возможном впоследствии росте по службе и обо всем другом, о чем он только пожелает вам рассказать. У вашего мужа не должно возникнуть никаких подозрений по поводу того, что вы не желаете этой поездки. Можете заранее начать для него укладывать чемодан, сложив в него самые любимые его вещи. Во время беседы выберите момент, когда он будет наиболее для вас открыт и незащищен, проговорите четко всю программу, все четыре ее элемента. Постарайтесь не употреблять слово «командировка», ведь вы боретесь не с нею; подберите слова таким образом, чтобы возникла некоторая двусмысленность. Но не перестарайтесь, уловить ее должно только лишь подсознание вашего мужа. Фраза может быть приблизительно следующей: «Раз такие дела, то, конечно, поезжай. Все свои проблемы нужно решать вовремя. Только тогда можно будет зажить нормальной жизнью».

С точки зрения человека непосвященного, данной фразой вы не сказали практически ничего. Единственное слово, несущее какую-то конкретную информацию, — это слово «поезжай». Куда, когда и для чего — непонятно. Но пусть вас не смущает некоторая внешняя размытость программы. Ведь она должна воздействовать на подсознание «мишени», а в вашем сознании она предельно конкретна. Сопроводите законченную и проговоренную вслух программу импульсом намерения отказаться от любовной связи. Поскольку намерение обычно вырабатывается у человека в момент полного рассмотрения психической программы, то намерение отказаться от действия (поддерживать связь) оценивается «мишенью» в одном ряду с другими элементами программы и принимается.

Естественно, такая программа очень быстро не сработает. Ведь «мишень» помимо негативного желания должна выработать еще и логическое обоснование того, почему она должна отказаться от своей пассии. Но в вашем случае — тише едешь, дальше будешь. Если вы успели внедрить эту программу в сознание супруга хотя бы за несколько дней до командировки, то, скорее всего, поездка не состоится. Если же накануне, то, возможно, негативное желание к тому моменту еще не успеет выработаться. Но в любом случае ваш труд даром не пропадет: эта командировка окажется если и не последней, то предпоследней в самом обнадеживающем для вас смысле. Можете через недельку воздействие повторить. Очень скоро ваш муж перестанет ездить в командировки, по крайней мере в этот город. Вам же объяснит эту перемену какой-нибудь реальной, но не очень важной причиной, на которую раньше не обращал внимания.

Программы достаточно сложны для освоения. Для приобретения успешных навыков их внедрения в сознание других людей необходимы предварительные этапы обучения, развивающие ваш энергетический потенциал, а также меняющие мировоззрение на более совершенное. Именно поэтому мы с вами столько времени тренировали применение грубых импульсов и более утонченных мыслеформ. Но при этом программа — это то, что неосознанно применяется повсеместно. Вопрос в другом — насколько часто они применяются. Мы уже говорили о том, что важнейшее достоинство программ заключается в том, что «мишень», на которую вы воздействуете, ничего не замечает. Заложенные вами программы действуют непосредственно из подсознания. Выявить их постороннему человеку, а тем более самой «мишени», практически невозможно. Это под силу только опытному психотерапевту (да и то очень проблематично). Но так как ваши программы действуют в большинстве случаев во благо не только вам, но и окружающим, а иногда и самой «мишени», обращаться к нему за помощью вряд ли кто будет.

«Мишень» в период вашего воздействия может испытывать неясную тревогу, ощущение того, что что-то не ладится. Это вполне нормально и объяснимо. Наверняка подобные ощущения этот человек испытывает намного чаще, чем на него воздействуете вы. Ведь аналогичным влияниям он подвергается не только от вас (другое дело, что они не такие последовательные и эффективные, как ваши). Вспомните, сколько раз такое происходило и с вами до того, пока вы не стали изучать систему ДЭИР и не создали для себя непроницаемую для окружающих энергетическую оболочку!

Среди людей суеверных бытует мнение о том, что нельзя посторонним людям рассказывать о своих надеждах и планах. Одни, особенно подверженные чужому влиянию, этому правилу следуют очень строго. Другие — иногда оправданно, иногда нет — отмахиваются от него как от глупого вымысла. Но я всегда отчетливо понимал, что если уж какое-то суеверие веками держится в сознании значительного числа людей, то что-то в нем есть.

Давайте же подумаем, что именно. Как вы понимаете, любое осуществление планов связано напрямую с программой, которую вы сами для себя создали (см. предыдущую книгу). Раскрывая свой план постороннему человеку, вы проговариваете ему свою программу, раскрываете ее. Но в этот момент, особенно если вы человеку доверяете (а иначе вы бы не стали рассказывать ему о своих планах), вы частично теряете свою защиту. Вам необходимо знать реакцию собеседника, ощутить как можно ближе и отчетливее его энергетику — поэтому, доверяя, вы в прямом смысле этого слова открываетесь ему. Ваша энергетическая оболочка в такой момент и без того зыбкая, при желании ее совсем нетрудно пробить. Вы можете лишиться при подобном контакте даже такой защиты, как она. И в этот момент вместо своего образа желания и намерения вы получаете конструкцию вашего собеседника (с его стороны это может быть не злое намерение, а совершенно оправданный и здоровый скептицизм). В девяти случаев из десяти она будет серьезно отличаться от вашей. А это означает, что если он настроен по поводу того, что вы говорите, скептически, то вы и получаете соответствующие образы намерения и желания. Конструкция, поступившая к вам от собеседника, утверждается в вашем подсознании и постепенно пропитывает неуверенностью все ваши действия. Вы начинаете сомневаться либо в своей способности совершить задуманное, либо вообще в целесообразности его; так что конечная цель, естественно, не достигается. Вам же ничего другого не остается, как посетовать на то, что вас кто-то сглазил.

По нашим данным, даже человеку с очень сильным самоконтролем хватает менее пяти бесед с посторонним человеком, чтобы «сглазить» свой план. Так что народные поверья не лишены оснований. Поэтому раскрывать свои планы можно только тем людям, которые не просто вас любят и никогда не позавидуют вам (одного хорошего отношения недостаточно для защиты от сглаза), но которые являются для вас своего рода единомышленниками; только они будут поддерживать и вас, и ваши планы, какими бы сумасбродными они ни были (мы уже говорили о том, что живучесть идеи определяется не тем, насколько она хороша, а тем, с каким энергетическим настроем ее воспримут люди). Есть, правда, другой вариант: создать себе непроницаемую оболочку и всегда быть под ее защитой. Так что вам, читатель, при известной осторожности уже не грозит опасность оказаться подверженным чьему-то сглазу.

Сейчас, быть может, вам уже сложновато вспомнить ситуации, когда вы откровенно делали что-то себе во вред; подчиняясь чужому влиянию, поддавались на уговоры и просьбы. Что вы испытывали в эти моменты? Временами вы наверняка ощущали манипуляцию, догадывались о ней, но все равно ничего не могли поделать и подчинялись силе, которая вами руководила.

Я надеюсь, что эти эффекты посторонних программ припоминаются вами уже с трудом. Впрочем, даже для тех, кто не овладел приемами энергетической защиты, изложенными в первом томе, но понимает, что ему приходится подвергаться воздействию мощного программирования со стороны, мы можем кое-что посоветовать в качестве временной защиты.

## «СТОП-КРАН» — УНИВЕРСАЛЬНАЯ ЗАЩИТА ОТ ГРУБЫХ МАНИПУЛЯЦИЙ

Способ, о котором пойдет речь, известен с давних времен. Он использовался многими людьми, так или иначе вошедшими в историю, иногда осознанно, иногда — нет. Одним из наиболее ярких его популяризаторов в XX веке стал В. И. Ленин. Вполне возможно, что названия его из века в век менялись, да и не в них, разумеется, дело. Но сегодня его вполне можно назвать методом так называемой партийной философии. В кругах практических психологов его еще метко называют «стоп-кран». Применяется он для того, чтобы осуществлять жесткий прагматический самоконтроль.

Суть метода заключается в следующем: вы должны четко знать, что именно вам нужно и для чего. Каждый раз, когда вы сталкиваетесь с посторонним мнением, предложением или советом, немедленно оценивайте его с точки зрения своих интересов. Помните, что за искренними и внешне кажущимися доброжелательными предложениями может стоять искреннее желание добра себе, а вам — это уж как придется. Если эти предложения не совпадают с вашими интересами, можете смело отказываться от них. При этом советуем вам дополнительно восстановить защитную энергетическую оболочку.

Одним из главных условий для правильного применения этого способа является выявление манипуляции. Главный ее признак — неестественность вашего собственного поведения. Если вы почувствовали, что ведете себя неестественно, помните: велика вероятность какого-нибудь необдуманного поступка, который вы можете в любой момент совершить против вашей воли. Постарайтесь понять, на какой крючок вас поймали. Чаще всего нас ловят на опасении показаться не столь умным, отзывчивым, современным и т. д. Вам же совет: уличив в этом манипулятора, разрешите себе быть настолько плохим, насколько вам этого хочется, о чем и сообщите ему. Скажите ему откровенно: «Боюсь, вы переоцениваете мое бескорыстие (интеллект, доброту, талант, привлекательность и т. д.). Я вовсе не готов сделать то, о чем вы просите». Как только вы рискнете разочаровать своего собеседника, вам сразу станет спокойно и легко. Отгородившись от неверных представлений о себе, вы обретете внутреннюю свободу и станете неуязвимым для манипуляции.

Кроме того, тот же метод служит прекрасным средством для освобождения от посторонней системы ценностей. Примеров, когда с применением этого способа удавалось гармонизировать обстановку дома и на работе, можно привести множество. Давайте разберем одну очень распространенную ситуацию — когда работника фирмы заставляют дополнительно напрягаться по вечерам, напирая на его якобы существующие моральные обязательства перед этой фирмой и, соответственно, ни копейки ему за этот труд не доплачивая. Возможность все время рассчитывать на порядочность и исполнительность особенно трудолюбивых и отзывчивых сотрудников — следствие успешной манипуляции ими. К примеру, начальник обращается к подчиненному со следующими словами: «Только вам, зная вашу редкостную исполнительность и любовь к нашему общему делу, я могу доверить...» Доверить, как правило, он может то, за что не хочется дополнительно платить и что невозможно взвалить на плечи какому-нибудь другому сотруднику, менее зависимому от чужого мнения. Этому же человеку неудобно отказаться, и в результате он в свои свободные часы за «спасибо» будет выполнять работу, от которой другим людям, грубо говоря, хватило ума сбежать. Он может прекрасно понимать, что его просто эксплуатируют самым бессовестным образом, но ничего при этом не сможет с собою поделать.

Здесь возникает вопрос: если он все осознаёт, то почему не может отказаться от этой работы или попросить дополнительную оплату? В этом и состоит суть манипулирования: человек не может отказаться, потому что боится «не оправдать доверия», оказаться хуже, чем о нем думают, то есть отказаться от посторонней системы ценностей, навязанной ему сверху.

Но элементарный анализ ситуации при помощи «партийной философии» беспощадно продемонстрирует — какие такие могут быть бесплатные моральные обязательства перед фирмой, если ее начальник имеет с этой бесплатно выполняемой за-ради моральных ценностей работы реальные деньги и кладет их себе в карман?

Такой номер может пройти только с человеком, моральные установки которого диктуются его окружением. Способ, о котором мы говорили, — партийная философия — позволит ему тут же без каких-либо угрызений совести отказаться от рабского труда и вернуться к своим интересам.

На этом примере наглядно показано, что, несмотря на исключительную действенность энергоинформационных методов, простые приемы оказываются иногда весьма полезными. Поэтому я хотел бы посвятить заключительную главу книги простым методам поведенческого и вербального управления окружающими. Они, собственно говоря, не входят в систему ДЭИР, являются совсем несложными и при этом достаточно эффективными, чем и будут заметно контрастировать со всем предыдущим содержанием книги. Знать их полезно — к чему палить из пушки по воробьям? Для простых целей сгодятся простые приемы.

А о возможностях применения программ, пожалуй, большего и сказать нельзя. Роль, которую они играют в нашей жизни, переоценить трудно. Собственно, именно программы и широчайшие возможности их применения составляли ядро наших исследований. Они неизмеримо более разнообразны — однако мы стремились только показать вам хотя бы некоторые для того, чтобы вы постепенно привыкли их применять. Вскоре вы выработаете самостоятельные варианты программ, наилучшим образом подходящие для осуществления ваших собственных целей. Более подробно вы можете овладеть предметом на курсах ДЭИР, проводимых в Санкт-Петербурге под руководством моего ученика Титова К. В., написав по адресу: СПб., 198103, 44/46, а/я 123, позвонив по телефону (812) 219-12-45 или связавшись с издательством. На очных курсах школы ДЭИР вы овладеете материалом на уровне, которого книга никогда не даст, и, кроме того, получите неоценимую поддержку единомышленников.

В этой главе мы сознательно не говорили о методах, позволяющих зомбировать значительные массы людей, а также о тех, которые берут постороннего под жесткий контроль. Ваша цель и задача в жизни, право же, состоит не в том, чтобы становиться диктатором или главой государства: их в истории нашей многострадальной Родины и без вас достаточно. К тому же осуществление этих задач не имеет для человека с вашим сегодняшним мировоззрением особого смысла: вы как никто другой должны понимать, что не мировое господство приносит счастье и гармонию в душу. Вам нужно только одно — чтобы окружающая среда перестала вас стеснять и дала возможность жить в полную силу

Итак, какие же существуют методы управления чисто социальные, неэнергетические?

# Глава 5

## Воздействие поведением и вербальными конструкциями

Вы наверняка замечали, что поведение человека, его манера держаться и даже характер в значительной степени зависят от его социального положения. Хотим мы этого или нет, но наш образ жизни накладывает на нас неизгладимый отпечаток. Возможно, вам приходилось ловить себя на странном ощущении, когда видишь человека впервые, а кажется, что знаешь его давно: слишком многое с первого раза можешь о нем сказать.

У кого-то эта способность в мельчайших деталях определять и место жительства, и род занятий, и основные склонности натуры развиты в большей степени, у кого-то — в меньшей. Но в той или иной мере эта черта свойственна всем людям, нужно только уметь развить ее в себе. Такие гении анализа, как Шерлок Холмс, существуют в реальности. Их, разумеется, не много, но они есть, и у них всегда имеется широчайший простор для деятельности.

Интересен тот факт, что русских за границей узнают еще до того, как они успели сказать хоть фразу на своем языке. Горожане легко узнают людей, приехавших из деревни. Известны также случаи, когда, будучи среди людей одного и того же социального положения, один человек, понаблюдав за другим пару минут, мог рассказать о нем практически все. Рассказывают, что такой эпизод произошел однажды в жизни русского писателя Леонида Андреева. В течение некоторого времени он наблюдал за человеком, прохаживающимся по холлу гостиницы, в которой остановился писатель. Андреев поспорил с друзьями относительно того, кем бы этот человек мог быть, — и выиграл спор. Этот мужчина, облаченный в самую что ни на есть элегантную одежду, оказался карточным шулером.

Разумеется, не все обладают такой редкостной проницательностью. Но дело сейчас не в этом, а в том, что наш образ жизни, основной род занятий и даже характер накладывают неизгладимый отпечаток на наше подсознание, а уж оно руководит всем: определяет наш жизненный сценарий, просвечивает сквозь все наши поступки, слова и даже жесты.

Вам когда-нибудь приходилось иметь дело с человеком, который ранее занимал довольно высокий пост, а потом в силу некоторых обстоятельств был понижен в должности? Если вам случалось общаться с такими людьми, то вы не могли не обратить внимание на то, как они держатся. Первое, что всегда бросается в глаза, — это их манера держаться, которая, прямо скажем, не совсем соответствует их настоящему служебному положению.

Многим из нас часто приходится мириться с неприятной манерой, присущей некоторым начальникам, разговаривать с подчиненными свысока, в директивном тоне. (Как сказал мне один новый русский, с которым как-то свела судьба, «директор — он и в бане директор».) Негативная реакция окружающих на такое поведение начальства вполне нормальна и объяснима, так как при таком отношении ущемляется чувство собственного достоинства тех, кто стоит ниже на ступеньках служебной лестницы. Но если человек занимает определенный пост, его можно если не простить, то хотя бы понять. А вот если он никто и ничто, а манеры при этом остались те же, то тут просто не знаешь, что и думать — хам он или просто дурак. Казалось бы, уже можно было бы и перестроиться, если не сразу, то пусть через некоторое время. Но нет. Подобное ожидание почти безнадежно.

Но вот вопрос: почему так происходит? Чем объясняется такое поведение людей, привыкших к лидерству?

Известно, что человек прошел длительный путь эволюции. Когда-то он передвигался на четырех ногах, срывал палкой плоды с деревьев, выискивал вшей в мохнатой шерсти подруги. С тех времен у него осталось большое количество рефлексов, которые хоть и преобразились в достаточной степени благодаря развившемуся сознанию, но по сути своей остались прежними.

Один из наиболее сильных таких рефлексов — это рефлекс стаи. Человек, перед тем как стал таковым, тысячелетиями жил в стае. В любой же популяции животных — и живущих тогда, и населяющих нашу планету сегодня — существовала строгая иерархия, обеспечивающая своего рода порядок и жизнеспособность всего сообщества. Любой стае непременно нужен вожак, действия которого будут служить примером для остальных. Это непреложный закон, действующий даже в среде насекомых: ведь и у пчел есть своя царица.

Давайте пофантазируем и представим себе, что было бы, если бы в стае вдруг несколько особей стали считать себя вожаками. Для примера разберем следующую ситуацию. К стае обезьян приближается опасный хищник. В обычной ситуации вожак дает сигнал, и стая либо встает на свою защиту, либо спасается бегством. Но в любом случае действия ее членов согласованны. Если же в стае несколько вожаков, то они разбегутся в разные стороны, а за ними и все остальные. Значит, стая распалась. А чем меньше в ней особей, тем легче ее уничтожить. Во всех отношениях всем членам стаи было всегда выгодно держаться вместе, подчиняясь одному вожаку.

Поэтому звери и группируются. Единственный вожак, самый умный и жизнеспособный, сплачивает вокруг себя всю стаю. Подобное объединение приносит выгоды всем особям без исключения: слабые получают возможность выжить, сильные — размножаться, обеспечивая стаю жизнеспособным потомством; потомство бережно защищается всей стаей.

При этом обратите внимание на один факт: лидер особенно необходим стае именно в минуты опасности. В это время возможности для выяснения отношений между членами стаи, естественно, нет. Так что лидер, вынужденный в повседневной жизни отстаивать свое положение ежесекундно, при любой опасности превращается в абсолютного лидера, которому подчиняются рефлекторно. Для этого в стае животных, к царству которых некогда принадлежал и человек, заложено множество инстинктов, обеспечивающих мгновенное подчинение в ответ на действие лидера.

Сами же действия лидера также имеют некоторые отличительные признаки. Так, зоологи, изучающие поведение животных в непосредственной близости от них, без труда могут вычислить в стае лидера по его поведению и отношению к нему остальных членов стаи. Может быть, не всем понравится такое сравнение, но поведенческие особенности у обезьяны-лидера в общем и целом те же, что и у человека-лидера. Главное, конечно, осознание внутренней силы и уверенность в ней. Этой уверенностью в собственной силе проникнуты все действия лидера, на ней строятся все взаимоотношения между лидером и другими членами стаи.

С тех времен инстинкты человека, разумеется, претерпели серьезные изменения; сохранившиеся инстинкты стаи преобразовались в социальные инстинкты. Так же, как и тогда, человек рефлекторно реагирует на малейшее ощущение опасности; как и тогда, ему неприятно посягательство на все то, что он считает своим. Но помимо рефлексов защищать себя и свою территорию в человеке живы и другие стайные рефлексы — на подчинение. И те и другие интересуют нас с вами с точки зрения возможности управления окружающими — ведь это та проблема, которой мы сейчас занимаемся.

В средние века существовало своего рода искусство, которому специально обучали королей и приближенных к ним. Заключалось оно в том, чтобы при любых обстоятельствах, даже в партикулярном платье, уметь вызвать на себя реакцию безусловного подчинения даже у незнакомых людей.

Вы на данном этапе вполне можете добиться того же самого. Вернее, даже большего, так как королей средневековья учили этому просто в рамках воспитания, и за овладением этим искусством в первую очередь стояла цель уметь себя подать соответствующим королю образом. Вы же, если учесть тот факт, что для вас воздействие на людей уже давно из цели превратилось в средство, могли бы добиться вполне ощутимых результатов в решении каких угодно проблем, связанных с воздействием на окружающих.

Что касается инстинктов, о которых мы говорили, то они действительно находятся в приглушенном состоянии. Но не более того. Убедиться в этом совсем не трудно. Понаблюдайте за животными на природе — за играющими или, наоборот, конфликтующими собаками или кошками; еще лучше — за дикими животными (разумеется, предварительно позаботившись о своей безопасности). Обратите также внимание и на свое собственное поведение. Сравните свое поведение и поведение животных.

Что вы делаете, когда на вас кто-то повышает голос? Если вы сознательно не заставляете себя сдержаться, то, скорее всего, тоже повышаете тон: ведь вы вынуждены как-то защищаться. Ваша ответная реакция — это то же самое, что и рычание зверя в аналогичной ситуации: он увидел, что противник готовится к нападению, и сам принял позицию, свидетельствующую о намерении дать отпор.

Даже если вас мало интересует жизнь животных, вы наверняка знаете и о другом их инстинкте: стремлении большей части из них пометить свою территорию, отгородив ее тем самым от чужаков. Такой инстинкт проявляется абсолютно у всех животных, точнее сказать, у всех самцов. Наблюдать за жизнью диких животных, разумеется, доступно далеко не всем. Ну что ж, обратите внимание хотя бы на собак: в них говорит то же самое стремление отгородить свою территорию; кобель всегда выберет кустик или столб позаметнее. Любой владелец собаки также подтвердит вам и тот факт, что, выгуливая своего любимца, ему приходится останавливаться по несколько раз, потому что его песику необходимо задрать лапу не в одном месте, а в самых разных.

С животными, кажется, все понятно. Но что удивительно, этот пикантный инстинкт сохранился и у человека, хотя, казалось бы, в современных условиях жизни он совсем не нужен — мог бы и отмереть. Но не тут-то было. Давайте, отбросив условности, разберемся подробнее, как произошла трансформация этого инстинкта и в чем он выражается сегодня. Если мужчинам случается на природе (к примеру, в лесу, в поле) отправлять малую нужду, то делают они это совсем по-другому, нежели женщина. Мужчина практически всегда пристроится к чему-нибудь заметному — к дереву, камню или чему-то еще, что так или иначе выделяется среди окружающего ландшафта. Женщина же — в самом укромном, удобном для нее местечке, и не более того. Почему так происходит? Все потому же. Предки человека когда-то эдаким образом помечали свою территорию, и не где попало, а в первую очередь те предметы, которые мало-мальски выделялись среди всего остального. Подумайте, такой древний инстинкт, а так хорошо сохранился у человека, несмотря на то что от прежнего обоняния у него не осталось и следа!

И что интересно: если где-то в зоне слышимости есть другие люди, это стремление пристроиться к дереву или камню срабатывает значительно чаще. На это вы мне можете возразить, что для человека в такую минуту вполне естественно попытаться укрыться от чужих глаз, ведь каждый из нас стремится соблюдать какие-никакие правила приличия. И будете отчасти правы. Но и такое поведение имеет свое объяснение.

Когда рядом с человеком оказываются другие люди, уровень тревожности повышается и у него возникает потребность еще активнее помечать территорию. Этот рефлекс трансформировался при адаптации. Суть его осталась та же, что и раньше, а объяснение теперь совсем другое: сказалось развитие головного мозга и изменение условий существования (помните, мы не раз уже говорили, что стремления подсознания всегда объясняются сознанием по-своему, логично и приемлемо для него).

Какой из всего этого можно сделать вывод? В человеке сохраняется готовый набор рефлексов, оставшийся ему в наследство от бессловесных предков. Это означает, что, если для вас по какой-то причине нежелательно использование энергетических форм управления, вы можете программировать человека на нужную вам реакцию, используя его врожденные рефлексы, обеспечивая тем самым восприятие себя как лидера.

Давайте для начала выясним, что же имеет значение для активации подсознательных рефлексов и, главное, как это можно применять для осуществления воздействия на окружающих. В настоящей главе мы не будем касаться слишком сложных случаев — они не подходят для беглого рассмотрения. Ситуации, которые мы с вами будем разбирать, будут ограничены определенными рамками: вы с собеседником либо незнакомы вообще, либо знаете его плохо; при этом он не пьян, не раздражен, не выражает каких-то бурных эмоций — то есть находится в совершенно обычном своем состоянии. Именно с такими людьми, согласитесь, у вас и возникают, как правило, сложности во взаимоотношениях. Случаи, когда проблемы встают между близкими или давно знакомыми людьми, требуют совсем другого подхода и не вписываются в тему, которую мы сейчас изучаем, поэтому их касаться мы сейчас не будем.

Итак, что же имеет значение для активации подсознательных рефлексов человека? На что нужно обращать внимание в первую очередь, когда вы только начинаете овладевать приемами управления?

## РОЛЬ ДИСТАНЦИИ В ОБЩЕНИИ

Одним из наиболее значительных факторов является дистанция, на которую один человек подпускает к себе других. Мы уже говорили о том, что в животных заложен инстинкт отграничивать свою территорию от чужой. В случаях, когда граница, установленная ими, нарушается, у них возникают причины для беспокойства — ведь каждому животному органически необходима своя личная территория, свой простор для жизни. Чем меньше животных обитает на той или иной территории, тем этот индивидуальный простор шире. В каких-то пределах он может уменьшаться или увеличиваться, и эти изменения до определенного момента не сказываются на их выживаемости. Сложности возникают только в случаях явного перенаселения. Если в популяции возникает эта проблема, то животные начинают существовать в состоянии постоянного стресса, что вызывает повышение в крови адреналина. Адреналин, вырабатываемый эндокринной системой организма, играет очень важную роль в регуляции роста, воспроизведения и степени защиты животного от негативных воздействий. Таким образом, перенаселение ведет к откровенному ухудшению условий жизни, а это в свою очередь сказывается на выживаемости животных. Они начинают вымирать, и продолжается это до тех пор, пока численность их не будет соответствовать необходимым для жизни нормам.

Человек, как существо социальное, также не обойден стремлением сохранять вокруг себя определенное пространство. Давно замечено, что в местах большого скопления народа всегда возникает опасность столкновений. Вызвано это тем, что по мере того, как каждый отдельный человек получает все меньше и меньше личного пространства, его раздражительность увеличивается, возникает вероятность драк и потасовок. И у нас, и в западных странах этот факт учитывается органами охраны порядка. Толпу либо пытаются рассеять, либо ее сопровождают, на случай если вдруг придется осуществить вмешательство.

По этой причине для человека, как и для животного, вполне естественно стремление держать окружающих его людей на определенной дистанции.

Существует такое понятие, как дистанция критическая. Пока человек находится за ней, он воспринимается другим как предмет посторонний. В этих случаях общения либо нет вообще, либо оно идет без особой рефлекторной поддержки. За пределами этой дистанции человек воспринимается как посторонний предмет (подсознание животного в таких случаях не ждет от чужаков ни атаки, ни каких других действий, требующих немедленного реагирования). В пределах же этой дистанции человек считается установившим контакт; на него обращается некоторое внимание, но не особенное (прямой опасности от него все же нет). И только в том случае, если дистанция откровенно сокращена, внимание человека целиком переключается на приблизившегося.

Мозг животного в таких ситуациях начинает чутко следить за вторгнувшимся на чужую территорию и моментально реагирует на то, что последует затем. А затем следует, как правило, либо прямая агрессия, от которой надо суметь защититься, либо, если особь принадлежит к противоположному полу, сексуальное заигрывание.

У человека, несмотря на то что его инстинкты адаптированы к его современными условиями жизни, подсознательные реакции происходят аналогичным образом. По крайней мере его внимание сразу переключается на человека, преодолевшего эту дистанцию, с целью определить, что именно от него хотят.

Какова же дистанция, о которой мы говорим, у человека? От чего она зависит и какую роль играет в его взаимоотношениях с окружающими?

Это так называемая комфортная дистанция общения, своя в каждом человеческом обществе. В первой нашей книге мы подробно говорили о том, что эта дистанция напрямую связана с рефлекторно поддерживаемыми размерами нашего эфирного тела. То есть чем больше эфирное тело, тем больше должна быть для человека его комфортная дистанция. Данная глава посвящена неэнергетическим формам управления, поэтому скажу только, что по размерам эфирного тела, которые вам не составляет никакого труда определить, можно вычислить комфортную дистанцию для человека, обеспечив тем самым себе и ему гармоничные взаимоотношения.

Городские жители, впервые приезжающие в деревню, всегда с некоторым удивлением обращали внимание на тот факт, как деревенские жители между собою общаются. Если горожанин, приветствуя своего знакомого, подойдет вплотную и подаст ему руку, то для жителей деревни совершенно естественно с расстояния в 15 метров прокричать приветствие и помахать рукой. Помню, как в детстве я в первый раз был свидетелем общения деревенских. Меня как горожанина это в некотором смысле позабавило, но для аборигенов она была совершенно естественной.

Одна колхозница, возвращаясь домой после трудового дня, проезжала на телеге мимо дома, в котором жила ее приятельница. Увидев, что та сидит на крыльце и перебирает крыжовник, она не только поприветствовала ее, не сходя с телеги, но стала громко с нею обсуждать свои житейские проблемы. Затем она поинтересовалась делами своей подруги, после чего они принялись беспощадно «мыть кости» своим знакомым — и все это — приостановив лошадь, но не сходя с телеги. Естественно, говорили они громко, их слышали ближайшие соседи, но смущало это только меня, горожанина.

Уже из этого примера можно сделать вывод о том, что житель деревни предпочитает общаться с собеседником на расстоянии нескольких метров, горожанин — на расстоянии метра. Такая разница объясняется привычным расстоянием между людьми. Города, даже небольшие, всегда гуще заселены, люди в них всегда испытывают некоторую тесноту. Поэтому их жители рефлекторно сокращают размеры собственного эфирного тела, чтобы оно не соприкасалось с полем соседа.

Замечено, что человек, отсидевший срок в отечественной тюрьме и оказавшийся после долгих лет на свободе, при общении буквально прилипает к собеседнику. Вызвано это нечеловеческими условиями, в которых содержатся заключенные в наших тюрьмах. В камеру, рассчитанную на шесть человек, набивается тридцать; спят там по трое на койке в три смены. Размеры эфирного тела человека за время пребывания в тюрьме сокращаются настолько, что, выйдя из нее, он еще длительное время не может адаптироваться и вызывает у людей вполне объяснимое отторжение.

Очень показательна разница в комфортных дистанциях между москвичами и петербуржцами. Москвичи воспринимаются питерцами как назойливые и вызывают подчас раздражение, а питерцы москвичами — как холодные и отстраненные. Вызвано же это главным образом тем, что граница комфортной дистанции у питерца проходит в 75—80 сантиметрах от конкретного человека, а у москвича — в 40—50.

Как я уже сказал, эти реакции у человека непроизвольны и их можно использовать в управлении. В этой главе мы научимся, как именно это делать. Мы разберем несколько ситуаций, демонстрирующих поведение человека во время его пребывания в пределах комфортной дистанции, за ее пределами и внутри нее. Зная наверняка, какая последует реакция на ваше приближение или отдаление, вы сможете заранее продумать свое поведение таким образом, чтобы приблизиться к цели как можно скорее и наиболее простыми средствами.

## ИСПОЛЬЗОВАНИЕ ДИСТАНЦИИ ПРИ ОБЩЕНИИ

Начнем с ситуации, когда вы, общаясь с собеседником, находитесь внутри комфортного расстояния.

Именно на такой дистанции предполагается проводить полноценный обмен информацией. Все пособия по этикету отражают корректное поведение человека именно в этой зоне. Мы уже говорили, что у людей, проживающих в разных местностях, это комфортное расстояние разное. Там, где плотность населения меньше, оно, как правило, больше. В среднем у россиян оно простирается от 50 сантиметров до 1 метра 20 сантиметров. Если один человек подошел к другому ближе чем на 50 сантиметров, можно сказать, что этим он нарушил комфортную дистанцию между ними. Если он находится от него дальше чем в полутора метрах, то он пребывает вне комфортной дистанции.

## Комфортная дистанция

Итак, вы находитесь на расстоянии комфортной дистанции от собеседника.

От того, как вы себя поведете в данном случае, напрямую зависит его ответная на вас реакция. Естественно, что если вы начнете приближаться к нему, то он временно сосредоточится на вас, ожидая, что именно последует за вашим приближением. В эти секунды его подсознание будет проводить спешную работу, решая, не несете ли вы угрозу, приближаясь к нему. Мы с вами уже говорили о том, что люди судят о нас не по тому, что именно мы говорим и делаем, а по тому, как мы это делаем. От того, как вы подойдете к собеседнику, и будет зависеть, насколько собеседник выразит вам свое расположение.

Если при сокращении дистанции вы улыбаетесь, то этим гарантируете себе первую позитивную реакцию человека на ваше появление. Если вы подходите с лицом, ничего не выражающим, или недовольным, или, еще хуже, злым, то вас и встречают соответственно. Скорее всего, ваши отрицательные эмоции, которые на данный момент вас переполняют, к собеседнику прямого отношения не имеют. Но подсознание человека этого разобрать не может. Оно видит, что от вас исходит зло (и в этот миг неважно, временное оно или нет), и сделает все от него зависящее, чтобы приготовиться этому злу дать отпор. Так что если вы подходите к нему с явной агрессией, то можете вызвать ответную агрессию или, наоборот, чувство страха. Что именно вы вызовете, будет зависеть от того, насколько сильным расценит вас подсознание конкретного человека. Влияют на это в первую очередь размеры вашего эфирного тела и того человека, к которому вы подходите.

Возьмем для примера элементарную ситуацию. К маленькому ребенку, играющему в песочнице, с совершенно невинными намерениями составить компанию подходит ребенок постарше. Разница в возрасте у них небольшая, всего два-три года, и интересы их во многом еще схожи. Но так как дети растут очень быстро, то старший ребенок выглядит на целую голову выше младшего. Естественно, эфирное тело его тоже больше. Как вы думаете, какая будет первая реакция малыша? Захочет ли он с незнакомцем делиться своими игрушками? Скорее всего, нет. Наверняка к нему придется подойти маме и как-то успокоить его. Вполне возможно, что после ее вмешательства дети и будут играть вместе, но без него обойтись будет сложно.

Разберем другую ситуацию: вы в довольно агрессивной форме говорите собеседнику что-то неприятное, одновременно делая движение в сторону от него. Этим движением вы как бы выражаете намерение удалиться. В этом случае его подсознание, как правило, принимает ваши действия за реакцию страха и вызывает агрессивный ответ. В эти минуты в человеке просыпается инстинкт преследования. Так, за убегающим всегда норовит помчаться собака.

Этот прием неоднократно использовали талантливые полководцы в тех случаях, когда нужно было, имитировав отступление, загнать противника в ловушку. Подобной тактикой достижения победы привлекал к себе внимание историков Спартак. Во время своего отступления ему удалось загнать римское войско в самые что ни на есть неудобные для противника условия ведения боя. Другой известный пример, который хотелось бы привести в силу его однозначности, — это победа над французами в 1812 году, одержанная под руководством Кутузова. До сих пор основная масса историков придерживается той точки зрения, что главная стратегическая ошибка Наполеона заключалась именно в том, что он поддался искушению преследовать русскую армию и занял разоренную и опустевшую Москву, в которой его же войску, учитывая жестокие русские морозы, пришлось туго.

Вы, конечно, понимаете, что если речь идет не об отдельном человеке, а о целом войске, то и масштабы дистанций в этом случае будут уже другие. Для людей, ведущих диалог, комфортная дистанция одна, для расположенных в относительной близости друг от друга боевых частей — другая. Но суть закономерности, которую мы разбираем, от этого не меняется: если, отступая, бросаете противнику вызов, его рефлекторная реакция, следующая обычно за этим, — еще более сильный агрессивный ответ.

От того, как вы удаляетесь от человека, покидая комфортную дистанцию, будет зависеть реакция на предыдущее общение с вами. Уйти тоже нужно уметь. Улыбка при удалении изрядно снижает значимость состоявшегося диалога с вами. В этом контексте она воспринимается подсознанием как знак подчинения.

Одна из девушек, занимавшихся у меня, рассказывала следующую историю. Она, озабоченная впечатлением, которое производила на окружающих, всегда придавала несколько избыточное значение своей улыбке. Однажды она попала в неприятную ситуацию. Ей нужно было добиться от директора разрешения на серьезные преобразования, которые она, как заведующая, хотела провести в своем отделе. С большим трудом она добилась встречи с ним (начальство иногда бывает трудно застать), аргументированно изложила все свои идеи. Затем, когда разговор подошел к концу, она перевела его на неслужебную тему, поведав шефу о каких-то своих личных проблемах. Все это — с интонацией человека, рассчитывающего на понимание, с очаровательной улыбкой, немного грустной, но обольстительной.

Видимо, своими деловыми разговорами она боялась произвести впечатление изрядной зануды, а ей хотелось быть не только заведующей, успешно справляющейся с руководством отделом, но и интересной, привлекательной женщиной. В общем, она поворковала, поулыбалась — и ушла, сохраняя при этом надежду, что ее конструктивные предложения приняты во внимание. Каково же было ее изумление, когда через неделю директор сказал ей, что, как ему показалось, особенного смысла в преобразованиях нет, не нужны они ни самой заведующей, ни ее отделу, ни организации в целом.

Зачем, спрашивается, она к нему приходила, неужели просто так, от нечего делать? На этот вопрос он, скорее всего, ответил для себя так, как ему, мужчине, было приятнее. В какой-то степени у него для этого были основания: уж больно хорошо женщина улыбалась.

Так что совет в подобных ситуациях можно дать один: если ваш разговор имеет достаточно серьезный характер, постарайтесь сохранить этот настрой до самого его конца и не улыбайтесь, уже удаляясь, на прощание — из вежливости или по какой-то другой причине. Приберегите улыбку для других случаев. В ситуации же, подобной этой, значимость сообщаемого вами из-за нее резко снижается.

Теперь третья ситуация: вы никуда не перемещаетесь, просто общаетесь с собеседником внутри комфортной дистанции. Вам в этом случае стоит иметь в виду, что значение ваших слов для собеседника будет невысоким (здесь опять проявляется инстинкт животного: привлекает внимание только то, что движется). Не случайно во время серьезных разговоров люди не выдерживают сидеть подолгу на одном месте. Они начинают вставать, ходить из угла в угол, если обстановка позволяет — курить. Происходит это не просто так: подсознательно человек стремится сделать все от него зависящее, чтобы его слова запомнились собеседниками.

Это правило очень хорошо использовать в тех случаях, когда обстоятельства заставляют сказать то, с чем вы внутренне совершенно не согласны. К примеру, обстоятельства заставляют вас соврать. Вам бы хотелось, чтобы это вранье было незаметным и незначительным и собеседник забыл бы о нем сразу, как только услышал.

## Общение вне комфортной дистанции

Теперь разберем особенности общения вне комфортной зоны собеседника, то есть когда два человека находятся не слишком близко друг к другу. В самом общем случае здесь действуют те же закономерности, что и в общении в пределах комфортной дистанции. Разница заключается лишь в том, что реакция человека на увиденное и услышанное будет не так ярко выражена. Объясняется это опять же сохраненным человеком древним инстинктом: если что-то происходит достаточно далеко, то оно не слишком опасно, а потому не заслуживает серьезного внимания.

Напоминаю, что такая дистанция составляет более полутора метров от человека. На таком расстоянии мы, как правило, держимся от людей совершенно незнакомых. Например, от водопроводчика, работающего в нашей квартире, от продавца в магазине, от нового сослуживца, которого еще плохо знаем.

Находясь на таком расстоянии от людей, вам приходится оценивать свою безопасность, когда вы поздно вечером возвращаетесь домой без провожатых. На такой дистанции проходят доклады выступающего перед аудиторией, различные собрания и конференции.

Первое, что стоит иметь в виду, находясь за пределами комфортной дистанции от человека или группы людей, это то, что они на вас, как уже сказано, могут не обратить особого внимания. Иногда вам это выгодно, иногда — нет. Если же вы хотите, чтобы вас заметили, — все, что бы вы ни делали, должно быть более броским. Если вы хотите установить с человеком доверительные отношения, у него должно появиться желание подпустить вас ближе.

Так, замечено, что на преподавателей, которые во время лекции улыбаются своим студентам, но при этом уверенно, без заискивания держатся, аудитория реагирует очень положительно. Именно к такому человеку — что студенты, что школьники — побегут после занятий задавать вопросы по пройденному материалу. Эффектив-

ность этого приема значительно возрастет, если препо
даватель не будет стоять на одном месте, а предпочтет
ходить по классу, не боясь войти в комфортную дистанцию учащихся. Всегда надо помнить: приближающему-
ся объекту внимания уделяется больше.

Возьмем другой пример. Вы выступили перед аудиторией и собираетесь уйти. Если вы удаляетесь, окружающие как бы подводят итог общению с вами, ставят
на нем точку. Когда мы с вами говорили об общении
внутри комфортной дистанции, я уже приводил пример
того, как улыбка может снизить значимость всего, что
вы пытались донести до окружающих, и навредить вам.

Так вот мой совет: когда вы находитесь вне комфортной дистанции и хотите, чтобы ваше выступление оста-
вило след, уходя, не улыбайтесь.

### *Ближняя дистанция*

Мы разобрали особенности общения людей в
комфортной дистанции и вне ее. Последний вариант,
который мы с вами должны разобрать, — это когда один
собеседник нарушил комфортную зону другого и резко
приблизился к нему. Опять же, от того, как вы поведете
себя в такой ситуации, зависит и поведение партнера.

Если собеседник настроен чувствовать вас близко,
а вы в этот момент отодвигаетесь, то это негативный
стимул.

Разберем пример, иллюстрирующий достаточно
обычную ситуацию выяснения отношений или просто
решения какого-то спорного вопроса между двумя влюб-
ленными.

Скажем, на скамейке в парке уединилась молодая па-
ра. Место выбрано самое укромное: кругом кусты сире-
ни, перед ними живописный пруд. Они сидят, прижав-
шись друг к другу, улыбаются, о чем-то болтают. Естественно, чем меньше в таких ситуациях дистанция между
людьми, тем более доверительные у них отношения. Если посторонний наблюдатель находится недалеко от
них, то по выражению их лиц он также может заметить,

что у них все хорошо. Если же он далеко от парочки, то первое, на что он обратит внимание, — это дистанция, на которой они находятся по отношению друг к другу.

Двое сидели рядом, не меняя близкую дистанцию, и спокойно разговаривали; мужчина нежно обнимал женщину за плечи. Но вот по какой-то причине женщина отстранилась. Мужчина, судя по всему, недоволен таким переломом в их отношениях: он пытается ее удержать. Но женщина отталкивает его — ее руки буквально уперлись ему в грудь. Со стороны возникает вполне обоснованное ощущение, что между ними произошла ссора. Еще несколько секунд — и женщина сидит в метре от мужчины, изредка поворачивая в его сторону голову, видимо что-то говоря ему.

Ситуация, знакомая многим, не правда ли? Означает она только то, что при доверительных близких отношениях для людей естественно находиться близко друг к другу. Для нашего подсознания это непреложное правило. Его также можно использовать в управлении. Если вы хотите вызвать в собеседнике негативный стимул — резко отсядьте от него. Этим вы дадите ему понять, что вас что-то очень сильно не устраивает: пусть думает, как исправить положение.

Если разговор носит агрессивный характер, то ваше отдаление может вызвать реакцию, зависящую от внутреннего состояния вашего собеседника. Так, если он раздражен, а вы отдаляетесь, то в нем просыпается инстинкт догоняющей собаки, который мы недавно упоминали. Мы говорили об этой реакции, разбирая только что общение внутри комфортной дистанции. В этом случае ваше отдаление вызовет только дополнительную агрессию. Если же человек испытывает страх или желание подчиниться, то ваш отход будет воспринят с облегчением. Представьте: кто-то вас боялся, избегал встречи с вами — и вот вы сами ушли. Наконец-то можно облегченно вздохнуть!

Теперь разберем ситуацию, когда вы, находясь в этой зоне, еще больше приближаетесь к собеседнику. Улыбка в сочетании с медленным приближением, по всей вероятности, вызовет доверительную реакцию. Если вы — человек противоположного пола, то, скорее всего, ваше поведение будет расценено как сексуальное заигрывание. Вспомните, как обычно мужчина приглашает женщину на танец. Он неспешно подходит к ней, как правило, неся на своем лице полуулыбку. Если женщина вдруг отказывает ему в танце, то, очевидно, мужчине не удалось по каким-то причинам вызвать по отношению к себе доверительную реакцию; если подобное в его жизни случается достаточно часто, ему стоит обдумать возможные ошибки своего поведения.

Гримаса или озлобленное выражение лица у приближающегося может вызвать в первую минуту вполне обоснованный страх, желание отступить назад. Происходит это оттого, что дистанция, на которой сейчас находится один человек от другого, очень небольшая и приближение вплотную с таким выражением лица, предвещающим явно негативные намерения, является для человека неожиданным. Но через некоторое время (достаточно бывает и нескольких секунд, чтобы подсознание оценило серьезность ситуации), пускай чуть запоздало, человек может предотвратить наступление ответной агрессией.

Таковы основные приемы неэнергетического управления, связанные с дистанцией. Но среди невербальных факторов коммуникации есть еще один очень важный — это направление взгляда.

## НАПРАВЛЕНИЕ ВЗГЛЯДА КАК ФАКТОР ОБЩЕНИЯ

Взгляд не случайно является одним из важнейших факторов человеческих отношений. Ведь говорят же, что глаза — зеркало души. Они как ничто другое способны выражать невысказанные мысли человека. Глаза — это своего рода придаток мозга, но имеющий выход во внешнюю среду. Они реагируют абсолютно на каждую нашу мысль, и эта реакция соответствующим образом в них отражается.

Многие испытывают существенный дискомфорт, когда им приходится общаться с людьми в темных защитных очках. По словам одной моей знакомой, у которой последнее время начались сложности во взаимоотношениях с ее молодым человеком, ее друг всегда во время серьезных разговоров стремился обезопасить себя темными очками. «Если мы сидим за столом и практически никаких жестов не производим, реагировать на его слова можно каждый раз так же, как если бы я разговаривала с ним по телефону. Ощущение такое, что он специально надевает их, чтобы было мне легче врать».

Замечено, что если в мысли человека имеется агрессивный импульс, то глаза, как правило, прищуриваются, а зрачки суживаются для наибольшей резкости. Человек посылает вам в такие минуты «пронизывающий», или, как еще говорят, «убийственный» взгляд.

Если человек испытывает порыв доброты или теплых чувств, то веки его расслабляются, а зрачки увеличиваются. В литературе такие глаза часто называют «улыбающимися» или «смеющимися». Такими глазами могут смотреть друг на друга не обязательно лишь мужчина и женщина; так смотрят дети на любимую учительницу; близкие подруги после длительной разлуки, случайные знакомые, которые понравились друг другу с первых же минут общения.

Именно по движению глаз чаще всего и определяют, что человек врет, или пытается что-то скрыть, или что-то вспомнить, или он из-за чего-то стушевался.

При неожиданном вопросе глаза вздрагивают; взгляд при этом на секунду уходит в сторону. Так бывает, когда человек, что называется, застигнут врасплох, сбит вашим вопросом с толку. Чаще всего он при этом начинает говорить чушь, путаться, заикаться. Но эта реакция еще не является признаком откровенного вранья, хотя оно, конечно, тоже может иметь место.

Ложь тоже имеет некоторые свои признаки. Признаки эти не всегда выражены; их, как я уже сказал, легко перепутать с замешательством или какими-то другими чувствами. К тому же человек, общаясь с вами, не может постоянно врать. Обманывает он вас, как правило, в чем-то одном, и то не просто так, а пытаясь выйти сухим из воды. Поэтому в минуты разговора с вами он испытывает, помимо желания соврать, самые разные чувства. Он в этот момент может стремиться что-то вспомнить, что-то сообразить, что-то выдумать. Вдобавок ему нужно моментально реагировать на ваши вопросы. И все процессы, происходящие в его сознании, как мы уже сказали, отражаются в его глазах. Естественно, вы не сразу научитесь различать, когда именно вам лгут. Но некоторые общие для всех правила, разумеется, есть.

Если врун судорожно пытается что-то выдумать, его глаза, как правило, резко «стреляют» вверх. В тот момент, когда он вам эту ложь произносит, глаза его, наоборот, предельно чисты и неподвижны. Он ровным голосом проговаривает вам заготовленное вранье и смотрит на вас немигающими глазами.

У человека, пытающегося что-то вспомнить, взгляд падает чуть вниз. Чтобы убедиться в этом, понаблюдайте как-нибудь за студентами и школьниками на экзаменах в те минуты, когда преподаватель задает им дополнительные вопросы по материалу.

Человек же, скрывающий что-то, на словах, как правило, пытается уйти от ответа. Глаза же его при этом скашиваются от воспоминаний вниз, тем самым выдавая его.

Так как направление взгляда вызывает безусловные рефлекторные реакции собеседника, то, зная о причине этой реакции, ими можно легко управлять: достаточно изменить взгляд.

Направление взгляда наилучшим образом демонстрирует внутреннее состояние человека по отношению к собеседнику. Если человек чувствует себя слабее, чем его собеседник, то он смотрит исподлобья, снизу вверх. Именно так смотрят на своих родителей подростки, когда те отчитывают их за плохое поведение, низкие оценки или что-то еще.

Если при этом голова собеседника наклонена вперед, то этим выражается страх и почтительность, а если в сто-

**6** Д. Верищагин

рону — угодливость и стремление подчиниться. Взгляд его при этом сфокусирован на собеседнике — как бы улавливает малейшее его движение. Так часто смотрят подчиненные на свое начальство. Эта манера поведения также передалась человеку по наследству от его мохнатых предков. Как она выработалась в нем? Следующим образом. При возможной агрессии со стороны животному приходилось изворачиваться снизу, так как его более сильный соперник мог просто подмять его своим телом. Если это происходило, то еще оставалась надежда вырваться, сбросить его, сделав кувырок через голову: ведь лицо (вернее, морда) и все внутренние органы более слабого противника оставались закрыты от нападающего.

Если человек чувствует себя более сильным, то его голова несколько запрокинута наверх или просто приподнята чуть больше обычного, взгляд направлен сверху вниз. При этом смотреть он может не обязательно в лицо собеседнику. Вызвано это тем, что животный рефлекс опять же дает себя знать: особь, глядящая таким образом, готовится уже не изворачиваться, а подминать противника сама. Взгляд ее, как правило, не сфокусирован, так как реакция животного более слабого ей неинтересна, за исключением разве что тех случаев, когда она готовится к нападению.

Эти особенности поведения, сохранившиеся у человека с тех далеких времен, можно вполне успешно использовать. Давайте подумаем как. Вам наверняка приходилось встречать людей, которые могли быть лидерами только с теми, кто слабее их. С сильными же все их амбиции на лидерство куда-то исчезали. В общем, как в поговорке: «Молодец — среди овец, а возле молодца и сам овца». Черта эта, прямо скажем, в человеке не самая лучшая, но природой вполне обусловленная. По моим наблюдениям, ее наличием грешат более половины людей. Изменить ситуацию, разумеется, мы не в силах, мы можем ее только использовать в нужных нам целях.

Если лидер вдруг начнет вести себя как слабак, подтвердив свое положение определенным взглядом, то слабая особь сразу же начнет наглеть. Именно этим объясняется тот факт, что в семьях, где животных (и детей, кстати, тоже) чрезмерно балуют, лелеют, во всем им потакают, эти любимцы очень быстро садятся хозяину на шею. Хозяин, любя своих питомцев, демонстрирует им свою слабость, чем те успешно и пользуются.

Если же слабый проявляет вдруг повадки лидера, то вожак стремится немедленно поставить его на место (естественно, если отношения уже сложились).

Как мы уже говорили, подсознание человека фиксирует все эти невербальные признаки. И что самое интересное, люди при знакомстве выстраивают свои отношения именно по этим невербальным признакам. Причем это происходит рефлекторно и сознанием оценивается только в тех случаях, когда самому себе приходится отвечать на вопрос: «А с чего это я вдруг так себя повел?» Истинный ответ на этот вопрос, по идее, должен быть следующим: «Потому что я сильнее его и мне нравится это показать». Но человеку такое объяснение в голову не приходит: как-то не хочется его допускать. Такой ответ скорее могли бы дать животные, если бы умели говорить. Поэтому сознание человека ищет любое объяснение своим поступкам. Скажем, у этого слабого человека могла быть непрезентабельная внешность, неприятная манера говорить, он мог показаться сильному неумным и т. д.

Проанализируйте свое собственное поведение. Представьте, что вы, достаточно уверенный в себе человек, вынуждены общаться с собеседником, который ведет себя следующим образом. Смотрит как будто даже не на вас, а куда-то не то чуть ниже, не то вообще в пространство. Вас как будто и нет для него, потому что вам не поймать его взгляда. Такое положение неудобно, неуютно для вас, и вы немедленно начинаете что-то предпринимать, чтобы заставить его посмотреть вам в лицо; пытаетесь разговорить его, добиться определенной на себя реакции. Иногда для этого встаете с места, начинаете двигаться или даже ходить вокруг него кругами, заглядывая ему в глаза. При этом не отдаете себе отчета в том, что именно так и вела себя десятки тысяч лет назад древняя обезьяна. Неприятно, конечно, но факт: древние рефлексы никуда не исчезают.

Говорит же это все только о том, что направление взгляда можно использовать. Как именно, вы наверняка уже поняли. Используя тот или иной взгляд при общении с другими, можно добиться практически любой нужной вам реакции. При этом вы должны смириться с тем фактом, что ваш взгляд вызывает реакцию именно на вас как на социально значимый объект, а не на какие-то ваши мысли, которые вы пытаетесь до окружающих донести.

## ИСПОЛЬЗОВАНИЕ НАПРАВЛЕНИЯ ВЗГЛЯДА

Давайте подумаем, в каких именно ситуациях и как вам лучше смотреть на собеседника. К примеру, вы — начальник, директор крупной организации. Через пару минут к вам в кабинет войдет подчиненный и будет докладывать о проделанной работе. Вы знаете за ним черту, которая вас безумно в нем раздражает: он вечно проталкивает какие-то непродуманные идеи, причем делает это излишне самоуверенно, если не сказать — нагло. Видимо, пользуется вашей доступностью и простотой в общении. Вот сейчас он придет, и вы принимаете решение: чуть что — поставить его на место.

Используйте для этой цели взгляд сверху вниз, запрокинув голову слегка назад. Разумеется, предварительно нужно потренироваться, иначе вы изобразите не позицию сильного, внушающего страх, а куклу, которой вывернули голову. Одним словом, не перестарайтесь.

Если же ваш подчиненный отличается излишней робостью, если от одного вашего присутствия у него буквально зуб на зуб не попадает, то вам, естественно, хотелось бы, чтобы он вел себя посмелее (а заодно и почетче бы выражал свои мысли). Для этого используйте в общении с ним взгляд снизу вверх. Трусоватому подчиненному он должен придать силы и развязать язык.

Подчиненные чаще всего смотрят на начальника взглядом снизу вверх — этим они как бы отдают должное его положению. В тех же неординарных ситуациях, когда вам нужно добиться от него выброса негативной реакции, разозлить его, дискредитировав тем самым в глазах подчиненных, можете применить взгляд сверху вниз.

Эти же типы взглядов вы можете также использовать и в другой обстановке, скажем, в компании приятелей, если чувствуете, что кое-кто из друзей начинает задираться; в магазине — с продавцами, не отличающимися особой вежливостью, в транспорте — с грубыми пассажирами; словом, в общении с любыми знакомыми или посторонними людьми.

Давайте рассмотрим пример использования этого взгляда при контакте с людьми совершенно посторонними. Согласитесь, в общении с ними тоже нужно уметь показаться сильным иногда, а иногда — слабым. Скажем, приходите вы в библиотеку и просите, чтобы вам на месяц дали книгу, которую на руки, в общем-то, не выдают, а только в читальный зал. Главное для вас в этой ситуации — убедить библиотекаря в том, как сильно нужна вам эта книжка. Посмотрите на нее снизу вверх, признайте ее значительность, улыбнитесь. Пускай, глядя на вас, она сама придет к выводу, что, помогая вам, она помогает людям развиваться. Такие высокие мысли внедрить в голову человеку бывает иногда не только нетрудно, но, главное, полезно.

Если же вы оказываетесь в ситуации, где есть вероятность, что вас могут притеснить или обмануть, — лучше пользуйтесь взглядом сверху вниз. Он наверняка поубавит у постороннего человека желания с вами связываться. Скажем, при таком вашем поведении вас навряд ли кто-то попытается обвесить на рынке или обхамить в транспорте. Используя этот взгляд, вы демонстрируете свою силу, а сильным в этом мире всегда подчиняются.

Использование и дистанции, и взгляда — это важнейшие приемы невербального воздействия на окружающих. Однако для более полного представления о невербальном управлении нам нужно разобрать еще один прием — жестикуляцию. Как вы понимаете, роль жестов в человеческой коммуникации чрезвычайно велика. В той или иной степени жесты используются абсолютно всеми людьми. Эта наша черта также досталась нам от наших предков-обезьян. Понаблюдайте за обезьянами в зоопарке: ведь каждая из них — это пародия на любого из нас.

## ЖЕСТЫ И СПОСОБЫ ВОЗДЕЙСТВИЯ ИМИ

Именно потому, что роль жестов в человеческом взаимопонимании чрезвычайно велика, стало возможным появление такого искусства, как пантомима. Дрессировщик, общаясь с животными, пользуется жестами не меньше, чем словами. Так, к примеру, известно, что дельфины на слух не воспринимают ту звуковую частоту, на которой говорят люди, и слышать их речь не могут; дрессировщик общается с ними исключительно жестами. Это означает, что жестикуляция позволяет, не прибегая к словам, донести свою мысль до подсознания другого существа — неважно, человека или животного.

Как вы думаете, почему при разговоре с собеседником мы так часто и много двигаем руками? Движение руки в поле зрения собеседника приковывает его внимание к тому, что вы говорите. Подсознание человека, следящего за вашей жестикуляцией, стремится определить, соответствует ли то, что вы говорите, истине. Естественно, если начать разбирать жесты подробно, о них можно написать целую книгу. Как вы уже поняли, жестикуляция любого человека — следствие работы его подсознания. В жестах, как и в глазах, отражается человеческая суть. Мы же в данной книге подробно их рассматривать не будем: моя цель — ознакомить читателя с важнейшими приемами управления. А так как жестикуляция, по сравнению с тем, чем вы уже владеете, прием, прямо скажем, не самый сильный, то мы и разберем только три категории жестов: притягивающие, отталкивающие и успокаивающие.

Хотя жесты вполне естественны при разговоре, существуют некоторые тонкости их использования. Они позволяют управлять невербальным контекстом беседы. Эффект получается приблизительно следующий: вы, ведя с «мишенью» непринужденный разговор, одновременно работаете с его подсознанием, внушая ему то или иное мнение по интересующей вас проблеме. Этот прием оказывается очень выгодным, если перед вами стоит задача переубедить человека, но говорить открытым текстом вы по некоторым причинам с ним не можете.

Давайте остановимся на первой категории жестов — притягивающих — и разберем их использование. Вы наверняка замечали, что внимание притягивает практически любой жест, при котором часть руки, находящаяся в поле зрения собеседника, отодвигается от него. Такие жесты человек производит, когда ему нужно кого-то к себе позвать. Если этот человек находится близко, то его можно поманить к себе пальцем, или, если далеко, в десятках метров, — махнуть всей рукой, сделать ею загребающее движение.

Использовать эти жесты можно в противоречии с контекстом беседы. Вы совершаете тот или иной жест, и именно он оседает в подсознании у вашего собеседника. Что вы при этом говорите на словах — это уже не так важно для его восприятия. Но если вам что-то нужно ввести в подсознание собеседника, а вы не можете сделать этого вслух, вам стоит прибегнуть к вполне определенной жестикуляции. Ситуаций таких, как вы сейчас сможете убедиться, может быть очень много, и в случаях, когда вы не хотите прибегать к энергетическим способам воздействия, использование этих жестов может быть вам очень полезно.

Для наглядности разберем следующий пример. Вы и еще два человека являетесь приближенными директора. Он вызывает вас троих, чтобы обсудить проблему дальнейшего развития вашей фирмы, точнее сказать, вопрос о ее сотрудничестве с другой организацией.

Ваше мнение по данному вопросу коренным образом отличается от того, что доносят до директора ваши сослуживцы. Скажем, ваши коллеги отрицательно относятся к сотрудничеству с фирмой, относительно которой у вас самые что ни на есть лучшие представления. Но всем известно, что ее директор — ваш лучший друг. И высказать свое мнение вслух вы не можете из-за опасения, что двое ваших коллег вас не поймут, заподозрив в ваших планах лишь выгоду для себя, и не более того.

В такой ситуации вы можете сделать следующее. Вслух вы говорите, что сотрудничать с этой фирмой не надо, но в нужный момент делаете притягивающий жест, который поселяет в сознание собеседника уверенность в том, что это ему нужно. То есть жест по своему значению оказывается совершенно противоположным тому, что вы говорите. Далее, если вы все сделали правильно, ваш директор начинает поступать в соответствии с приказом своего подсознания или склоняться к нужному решению. При всем этом ваши коллеги не имеют оснований на вас злиться: то, что вы сказали, вполне вписывается в их интересы.

Если вы используете этот жест в нейтральном контексте, то он создает впечатление положительного высказывания, хотя на словах вы ничего не советовали. Это может быть полезно в тех ситуациях, когда вы хотите создать видимость своего нейтралитета или сделать вид, что вам безразлично решение того или иного вопроса.

Следующий тип жестов, которые мы изучим, — это отталкивающие жесты. Человек, используя их, как правило, открывает ладонь, обращая ее к собеседнику, и делает к нему движение всей рукой, иногда при этом всем телом подаваясь назад. Прием этот — тоже один из многочисленных рефлексов, доживших в человеке до сего дня. Как много тысяч лет назад, так и сейчас человек с помощью этого жеста мог защититься от грозящей ему опасности, заслонить руками свое тело. Согласитесь, ведь когда кто-то замахивается, собираясь вас ударить, первое, что вы сделаете, — рефлекторно приподнимете руку, как бы отгораживая себя от источника опасности.

Но даже если опасности как таковой нет, вы используете этот жест в разговоре с собеседником, когда стремитесь что-то отвергнуть, исключить, не допустить чего-то. Его вы также можете применить в вышеупомянутых ситуациях. При использовании этого жеста в нейтральном контексте создается впечатление, что вы ничего не отрицали. В ситуации же, когда вы вынуждены говорить не то, что у вас на уме, а совсем противоположное, он также сослужит вам добрую службу.

В примере, который мы только что разобрали, вы могли бы использовать отталкивающий жест, если бы все ваши коллеги были за принятие решения о сотрудничестве, а вы — против. Вы применяете этот жест — и в голове у директора оседает, что вы против принятия обсуждаемого варианта решения проблемы, хотя на словах вы только что со всеми согласились. Коллегам же к вам не придраться. Дальнейшее решение директора уже зависит от того, насколько ему самому покажется обоснованным сотрудничество с новой фирмой. Но в любом случае вы донесли до него то, что хотели, и ваша совесть профессионала должна быть чиста.

Последняя категория жестов, которую мы с вами должны рассмотреть, — это жесты успокаивающие. Они, как правило, выглядят так: человек на определенном расстоянии от собеседника совершает плавное движение рукой, как бы гладя некую поверхность. При использовании этого жеста у собеседника складывается следующее впечатление: от вас веет спокойствием, способностью ласкать, любить; вы никогда не обидите и не причините ни физической, ни душевной боли.

Естественно, этот жест очень полезен в общении с людьми, если вы хотите расположить их к себе. В наш беспокойный век кажется уже совсем привычным тот факт, что у огромного числа людей возникают неврозы. По количеству лекарств, покупаемых в аптеках во всем мире, на первом месте стоят седативные препараты (успокоительные). Люди с абсолютно здоровой нервной системой — большая редкость.

Неудивительно, что к человеку, обладающему способностью не нагнетать обстановку, как это делают почти все вокруг, а успокоить, люди потянутся. И надо сказать, особенно чувствительными и благодарными в этом плане окажутся женщины. Кому как не им оценить значимость этого одновременно успокаивающего и ласкающего движения! Способность быть ласковым и нежным — это то, что они в первую очередь ценят в мужчине. Напротив, один из последователей нашей методики, применив этот жест несколько раз в процессе общения с запавшей ему в душу женщиной, достаточно быстро добился от нее взаимности: ее буквально тянуло к нему. Энергетические приемы ему давались не очень хорошо; и как знать, сколь долго он бы обхаживал свою пассию, не умей он на высоком уровне пользоваться жестикуляцией.

Этот жест можно применять как при нейтральном контексте, когда вы не хотите на словах говорить ничего определенного, так и в противоречии с тем, что вы говорите: в подсознании собеседника оседает именно ваша жестикуляция. Скажем, не можете вы в присутствии большого числа народа открыто дать понять женщине, что она вам очень нравится, — используйте этот жест, и ее подсознание схватит все моментально.

Естественно, применять все эти жесты можно не только в тех случаях, когда вам нужно о чем-либо умолчать (мы разбирали эти ситуации, так как они являются наиболее сложными). Вы можете сочетать жестикуляцию с вашей речью и этим только закрепите реакцию на ваши слова, сделаете вашу речь насыщеннее и ярче.

Вы уже поняли, что мы познакомились только с важнейшими жестами; на самом деле их сотни и даже тысячи. Но если вы почувствуете, что в вашей жизни они особенно значимы, вы сами очень скоро научитесь обращать на них внимание и понимать что к чему, а также умело применять их в целях управления.

Но при всем этом невербальные методы управления все же значительно менее эффективны по сравнению с методами вербальными, то есть при помощи голоса и слов. Я не собираюсь долго задерживаться на этой теме, так же как и на предыдущей, по той простой причине, что на тему голосового и словесного управления можно написать не одну книгу. Я остановлюсь только на наиболее полезных с тактической точки зрения приемах. Все остальное при желании вы сможете освоить самостоятельно. К тому же эти приемы относятся к социальным методам. Они хоть и эффективны, но достаточно сложны. Так стоит ли вам тратить излишнее внимание и силы, если вы уже умеете осуществлять долговременное управление и по-другому? Но в любом случае мой вам совет — не руководствоваться какими-то конкретными правилами, а действовать по ситуации. Поэтому следующее, чего мы коснемся в этой главе, — это голосовой режим.

### ГОЛОСОВОЙ РЕЖИМ

Под голосовым режимом мы подразумеваем ту интонацию, тот тон, которыми человек делает то или иное высказывание. Главное для нашего подсознания не то, что мы говорим, а как мы это делаем. Поэтому раньше, чем человек оценивает смысл высказывания, он реагирует на тон. Особенно чутко реагируют на вашу интонацию дети и животные, а также слепые, у которых восприятие на слух предельно обострено. В основе изучения ребенком его родного языка также лежит улавливание тона, которым говорит с ним его мать.

Голос человека способен передать самые разные эмоции. Но что еще более важно, своей определенной интонацией мы провоцируем собеседника на тот или иной нам ответ. Поэтому голосовой режим можно использовать как неэнергетический прием управления окружающими.

Попробуйте одну и ту же фразу или хотя бы слово сказать разным людям с разной интонацией. К примеру, обычное приветствие «Здравствуйте!». Скажите его при встрече нескольким своим знакомым, но с разной интонацией, отражающей различные человеческие эмоции: одному приветливо, бодро; другому — с откровенной печалью в голосе; третьему — насмешливо или даже издевательски; четвертому — холодно; пятому — как-нибудь еще. А потом сравните реакцию на ваше приветствие. Пронаблюдайте, кто из ваших знакомых улыбнулся вам или остановился с вами поболтать, а кто — посмотрел с недоумением и промолчал.

Можно выделить три основных голосовых режима. Первый голосовой режим — та интонация, которую, как правило, использует учительница, заставляя подняться непослушного ученика. Этот тон рефлекторно вызывает беспрекословное повиновение. Его же чаще всего применяют в армии для обеспечения порядка, а также дрессировщики, работающие с дикими животными и опасными для человека бойцовыми собаками. Известно, что если собака считает себя сильнее хозяина или тем более дрессировщика, то беспрекословного подчинения от нее он не добьется. Согласитесь, что для служебной собаки такая вольность недопустима. Поэтому если уж вы держите дома такую собаку, то все ваши команды типа «Сидеть!», «Лежать!», «Голос!» и все остальные должны отдаваться именно этим тоном, не терпящим возражений. Если же собака вас не слушается, считайте, что команду вы отдаете неправильно.

Второй голосовой режим — это глубокий проникновенный тон, приблизительно такой, каким Дон Жуан соблазняет очередную свою жертву. Он вызывает у собеседника рефлекторное доверие — реакцию, которую вы наблюдаете сразу же, как только перешли на этот тон. Имейте, однако, в виду тот факт, что именно доверие, а не, к примеру, ненависть или половое влечение обычно сразу же проверяется логикой. Человек, на которого вы воздействуете, может спросить себя: «Чего это я вдруг так проникся к нему доверием?» Поэтому, используя этот прием, не перестарайтесь. А еще лучше — в этот момент говорите собеседнику что-то такое, что могло бы подтвердить обоснованность его доверия к вам. Пусть смысл ваших высказываний и их тон гармонируют друг с другом.

В общем-то, для управления этот голосовой режим используется нечасто. Служит он главным образом для того, чтобы снизить внимание собеседника при докладе. Его не так давно применил один из последователей нашей методики во время очередной сессии в университете, где он учился на вечернем отделении. Человек он семейный, учебу в вузе совмещал с работой, так что заниматься добросовестно ему было некогда. Ну, он и отвлек преподавателя на экзамене своим проникновенным воркованием. Тот, слушая своего студента, сам забыл материал, который ему должны были рассказывать по билету. В общем, какая точно была получена оценка — не помню, но экзамен был сдан.

Третий голосовой режим характеризуется тихим, немного срывающимся голосом. Он то затихает, то опять возникает в сознании «мишени», но всегда как бы стремится увести вас куда-то подальше от той ситуации, в которой вы находитесь. Используется он главным образом для того, чтобы заставить собеседника прислушаться к говорящему, вызвать дополнительный интерес, а также для того, чтобы стимулировать в собеседнике чувство вины или неуверенности в собственных действиях.

У моего друга есть сын, подружка которого делала с парнем абсолютно все, что хотела. Стоило ей выразить хоть какое-то недовольство, молодой человек готов был искренне поверить в полную никчемность своей натуры. Если она на него чуть-чуть обижалась, его из-за этого так мучила совесть, что он не спал ночами. При этом ей никакого труда не стоило на него повлиять. Если ей хотелось поехать отдыхать, а денег не было при этом ни у того, ни у другого, парень умудрялся где-то их найти — подзаработать грузчиком ночами или занять — ее это уже мало волновало. Если ей нужна была помощь, он тоже никогда не мог отказать, даже если приходилось действовать в ущерб себе. Дело дошло до того, что, когда парень был под угрозой отчисления из института, родители его пошли к девушке с просьбой повлиять на него. «Попробуй его уговорить взяться за ум. У тебя получится». И получилось. Почему? Я понял это, когда увидел ее на их свадьбе, вернее, услышал. У нее была манера говорить третьим голосовым режимом.

Могу себе представить, сколько девушек, прочитав про такое сногсшибательное действие третьего голосового режима, сразу же захотят им овладеть. Не обольщайтесь. Верный голосовой режим — не панацея для обретения любви. Ведь не у всех же эта девушка вызывала симпатии. Наверное, были такие люди, которым она не нравилась. Но тем не менее под ее воздействие попадали даже они. Было в ней что-то притягивающее, если точнее — гипнотическое. Поэтому ей так легко и удавалось найти контакт с людьми, уговорить их, заинтересовать.

Кстати сказать, третий голосовой режим — один из самых любимых приемов гипнотизеров. Вызвано это тем, что именно следящий за словами, произнесенными в третьем голосовом режиме, человек легко проваливается в трансовое состояние. На попытку загипнотизировать себя, как известно, разные люди реагируют по-разному. Поэтому к каждому нужен определенный подход. Так, если человек отличается заметной пугливостью, его лучше вводить в транс, используя первый голосовой режим. Ему говоришь властным тоном «Засыпайте!» — ну он и засыпает. С людьми же, склонными противоречить гипнотизеру, такой вариант не пройдет. Им потребуется несколько больше внимания. Поэтому в сложных случаях гипнотизер применяет третий голосовой режим. Голос гипнотизера, тихий, слегка вибрирующий, одновременно и успокаивает и уводит за собой.

Если ваш собеседник сознательно ничего против гипноза не имеет, очень хорошим дополнительным эффектом в этом случае станет неяркий источник света, скажем, свеча. Голос гипнотизера в третьем режиме будет прекрасно гармонировать с легким мерцанием свечи. Посадите человека лицом к свече, пусть он на нее смотрит как можно дольше. А когда его глаза закроются, образ свечи сохранится, ее мерцание он будет улавливать даже сквозь закрытые веки, а в ушах будет звучать голос гипнотизера. Естественно, при таком подходе человеку можно внушить все что угодно.

Используя три основных голосовых режима, с которыми мы с вами познакомились, можно заставить человека поверить или подчиниться, принять ваши слова некритически или, наоборот, агрессивно. Попробуйте их на практике — сначала дома, в одиночестве, когда вас никто не слышит, затем — среди знакомых; понаблюдайте за их реакцией и сделайте соответствующие выводы. Скорее всего, получаться начнет не сразу. Как и любое другое дело, использование голосовых режимов требует определенных навыков и настойчивости.

Вскоре вы сами станете более наблюдательны и увидите, кто из вашего окружения и при каких обстоятельствах использует тот или иной голосовой режим. Лидеры, как вы сможете заметить, чаще используют либо первый, либо третий режимы.

На этом возможности голосового режима отнюдь не исчерпаны. Но нам нет смысла раскрывать их все, так как мы сейчас рассматриваем активные тактические способы управления. Поговорим лучше о том, чего можно добиться при помощи слов: ведь в этой главе нас интересуют по большей части приемы, помогающие вызвать безусловные позитивные реакции на ваши действия. В этой связи вам может оказаться полезным древний как мир, но невероятно действенный прием управления под условным названием «цыганский гипноз».

## ЦЫГАНСКИЙ ГИПНОЗ

Вам наверняка приходилось сталкиваться на улице с цыганками, предлагающими «за монетку» погадать и все рассказать вам о вашей нелегкой судьбе. Если такой цыганке удавалось вас всерьез зацепить, то разговор с нею заканчивался потерей не монетки, а достаточно крупной суммы денег. Причем, когда спустя некоторое время к обманутому обращались с вопросом: «Ну тебя-то как угораздило? Ведь серьезный же и рассудительный человек! И насколько, говоришь, они тебя нагрели?..», сам пострадавший не мог объяснить, как это с ним случилось. Ну когда с кем-то — дело понятное, мало ли дураков на свете! Но чтоб с ним! Кажется, остановился-то на одно мгновение, а вон что вышло! Теперь до зарплаты не дотянуть — придется деньги в долг брать.

Поэтому большая часть людей, насколько я знаю, просто старается не вступать с цыганками даже в разговор. Просто проходят мимо, а если те пристают уж очень активно, то посылают их куда подальше, не стесняясь собственной грубости.

При этом не нужно забывать о том, что эти цыганки — чистой воды недоучки, потому и оказавшиеся на улице. Но даже им, как вы знаете, удается довольно часто обмануть того или иного доверчивого, но далеко не глупого человека. Совершенное владение цыганским гипнозом позволяет не только вытягивать деньги из людей — это, пожалуй, самое низменное его применение. Оно дает возможность получать мгновенное согласие любого человека по любому предмету — пусть ненадолго, но тем не менее получить.

Итак, давайте подробно рассмотрим, что же это за явление, в чем его суть и как можно его применять для управления окружающими. Цыганский гипноз заключается в том, чтобы ставить человека в контекст, которому он психологически не может сопротивляться. У вас наверняка в жизни бывали ситуации, когда вы не могли в чем-то отказать тому или иному человеку. Приблизительно те же ощущения вы испытываете и при общении с цыганкой. Но только в первом случае невозможность отказать человеку была чем-то обусловлена: скажем, он когда-то оказал вам неоценимую услугу и теперь вы чувствуете себя в бесконечном долгу перед ним, или просто вас связывают длительные узы дружбы — в конце концов, причина может быть любая. Но все дело в том, что, общаясь с цыганкой, вы подчиняетесь ей совершенно беспричинно. Вы просто идете у нее на поводу. Если основная ее цель — выманить у вас деньги, — это еще не самое страшное. Будем надеяться, что большего она и не сумеет.

Правильное ведение собеседника по такому пути — дело непростое и требует изрядного умения. Но, как водится, этот путь совпадает с цепочкой утвердительных ответов, которые вы должны будете получить от партнера по разговору.

Этот прием хорошо раскрыл в своей книге Д. Карнеги. Он советовал строить беседу таким образом, чтобы добиваться от человека положительных ответов. Вызвано это тем, что если человек согласился с вами первый, второй и третий раз, то ему будет трудно не согласиться с вами и в четвертый. Каждое его «да» все больше подкрепляет его доверие к вам.

Только Карнеги не очень профессионально инструктировал своего читателя. Дело в том, что прием трех «да» не срабатывает в спокойной беседе и не оставляет длительных последствий; его нужно проводить напористо и быстро — тогда вы достигаете цели: произнесенного вслух «да». Через несколько минут собеседник одумается.

Этот же прием является непременным правилом цыганского гипноза и одновременно наиболее простым его вариантом. При повторении утвердительных ответов, особенно если беседа ведется вами во втором голосовом режиме, уже после второго ответа собеседник воспринимает ваши слова совершенно некритически.

Базовое правило цыганского гипноза заключается в следующем. Если человек сказал «да» два раза подряд или подчинился вашим словам (возможно даже, что просто из вежливости), то, скорее всего, он сделает это и в третий — уже рефлекторно. Если он этого не сделал, можете считать, что гипноз не удался.

Помните, как развивается диалог с цыганкой? Сначала она останавливает вас и предлагает погадать или просит о какой-то незначительной услуге (дать мелкую монетку — ребенку не хватает на хлеб, или просто спросит, как куда-то пройти), отказать в которой, если вы никуда не торопитесь, не имеет смысла. Главное на данный момент — как-то вас зацепить и не получить отказа, а чем именно — не так важно. Следующий этап в вашем диалоге — когда цыганка пытается вас чем-то заинтересовать. Она горячо благодарит вас за оказанную услугу и предлагает «бесплатно» вам погадать. Ведь вам наверняка интересно? Конечно, да! Итак, вы соглашаетесь, чтобы вам погадали. Вы даже помните, что вам обещали сделать это бесплатно. Цыганка изучает вашу руку (или просто смотрит вам в глаза) и говорит о вас все, что видит. «Видит» она приблизительно следующее. «У вас была большая любовь!» Вы, естественно, отвечаете: «Да». (А у кого ее не было?) «Очень переживали, когда она закончилась». Вы опять соглашаетесь. «Жизнь у тебя была очень трудная, испытать тебе много пришлось!» (Хоть кто-то вас пожалел!) Естественно, вы опять соглашаетесь. Вы уже и не понимаете, что в этот момент прочно сидите на крючке. Вы заинтригованы, потому что все, о чем она сказала, — правда, и вы согласны даже заплатить ей, лишь бы она поведала о вас что-то еще.

На моих глазах дальнейший этап разговора строился так. Молодой девушке цыганка сказала, что все остальное она расскажет, только если та даст ей кусок бумажки. Слово «деньги» даже не было произнесено. Девушка стала рыться в сумке, чтобы найти там какой-нибудь листочек бумаги. По ней было видно, что она слегка волнуется, и, возможно, поэтому она ничего не может найти. Цыганка ей подсказывает: «Ну как же нет, дорогая! Я же сама у тебя в кошельке ее видела!» Надо сказать, что этой конкретной девушке повезло! На пике ситуации ее увидел кто-то из случайных знакомых и буквально за руку выволок из толпы обступивших цыган. Процесс, как сейчас говорят, к тому моменту уже пошел: она достала кошелек, чтобы вытащить из него «бумажку».

Цыганский гипноз годится только для очень быстрого тактического овладения ситуацией. Вам нужно в течение каких-то минут или даже секунд добиться своего — применяйте гипноз. Проблемы, которые вы можете решить с его помощью, естественно, могут быть какие угодно. При этом помните об одном немаловажном условии: применяя цыганский гипноз, вам нельзя собеседнику долго разжевывать, что к чему, вдаваться в подробности. Получили положительный ответ — и будьте довольны, действуйте дальше, пока тот не вышел из-под вашего влияния.

Возможно, в вашей жизни были случаи, когда вам на рынке продавцы умудрялись всунуть вещь, которую вы и покупать-то не собирались, а только прицеиились к ней из любопытства. Может, она и действительно вам не помешала бы; но, скорее всего, вы будете жалеть, что потратили деньги зря, иначе вы бы сами надумали ее купить. Как все случилось — не помните. Как-то вот поддались уговорам и заплатили деньги. А происходило все, похоже, так.

Вы проходили по рынку и увидели у одной продавщицы среди других вещей красивую блузку (если вы женщина, естественно). Вы подошли и прицениились: мало ли, вдруг где-нибудь увидите такую же, но дешевле. Вы прекрасно понимаете, что лишних денег у вас нет, а носить вроде бы есть что. По крайней мере выглядите неплохо, а всего, что есть хорошего на рынке, все равно не купить.

Вам назвали цену, и в течение нескольких секунд вы с восхищением смотрите на недоступную для вас вещь. Далее следует приблизительно следующий разговор с хозяйкой.

— Вам нравится? — спрашивает хозяйка.

— Да, — отвечаете вы.

— Красивая, правда?

— Да, очень.

— Еще бы: это известная японская фирма «Карбо» (или какая-то другая). И сделана блузочка очень качественно: не расползется, не полиняет. Вы видите?

— Да, — опять отвечаете вы.

— И размер ваш, точно вам говорю. Впрочем, вы можете примерить. Заходите ко мне за прилавок: у нас все здесь вещи примеряют. Будете примерять?

— Да, — отвечаете вы. Ведь вас не заставляют ее покупать, а только лишь предлагают примерить. А это так приятно — примерить красивую вещь.

Вы надели блузку, посмотрели на себя в зеркало. И то, что вы там увидели, — уже не важно, так как вы уже целиком и полностью находитесь под воздействием этой женщины. Вы сами, может быть, еще и не знаете, купите вы эту блузку или нет, но уж она-то уверена в этом на девяносто процентов. Если эта вещь вам действительно по размеру и к лицу, считайте, что вам повезло. Но так бывает далеко не всегда. В противном случае не было бы такого частого недовольства многих совершенными покупками. Итак, вы стоите в блузке, и продавщица опять вас спрашивает:

— Ну как, удобно?

— Да.

— Ну что, будете брать? — И если вы молчите в течение нескольких секунд, она добавляет: — Я сбавлю вам пять рублей.

— Да, — опять отвечаете вы.

То, насколько эта блузка была вам необходима, вам популярно дома объяснит муж, который, по большому счету, содержит семью. Перед вами сначала распахивают шкаф, «забитый тряпками, которые лет двадцать не сносить». Затем показывают пальцем на порванные местами обои и напоминают, что надо бы скоро делать ремонт, который тоже стоит денег. Затем выясняется, что вы в этом месяце еще не платили за квартиру и т. д и т. п. И вы со всем этим соглашаетесь, потому что умом понимаете, что он прав. Но как с вами это случилось, вы понять не можете.

Если в вашей жизни подобного не происходило, то можно предположить одно из двух: либо вы не поддаетесь никакому внушению — и тогда вам нужно учиться внушать самому, либо вы просто еще не встречали достойного гипнотизера — и тогда все материальные, а иногда и моральные потери у вас еще впереди.

Впрочем, надеемся, что с вами, читатель, этого уже не произойдет: освоив приемы системы ДЭИР, от воздействия примитивного гипноза вы, конечно, защищены. Для вас возможность такого исхода дел уже позади в доДЭИ-Ровском периоде вашего развития.

Пожалуй, на этом разбор возможностей управления при помощи неэнергоинформационных методов мы закончим. В действенности их убедиться очень легко. Попробуйте их комбинировать, сочетая голосовой режим с особым типом взгляда, устанавливая в разговоре ту или иную дистанцию. Добейтесь от собеседника согласия по интересующему вас вопросу, используя цыганский гипноз, а его оставьте в замешательстве по поводу того, зачем он с вами согласился и как вам удалось его так ловко провести.

Естественно, положительные результаты использования этих методов у вас будут. Но насколько целесообразно их применение для вас, когда ваш багаж знаний и навыков позволяет вам добиться значительно большего и с большей эффективностью, — это уже решать вам самим.

Этим приемам не стоит уделять преувеличенного внимания на страницах нашей книги, потому что, как вы сами понимаете, нужда в таких приемах ограничена. Они даны нам скорее для подстраховки, чем для каждодневного использования. Если вас по каким-то причинам заинтересует данная тема, то могу только дать совет обратиться к многочисленным пособиям по нейролингвистическому программированию и гипнозу. Там все расписано подробно, и изучить вам этот материал будет несложно. Да вот только нужно ли это вам? Ведь вы, без сомнения, уже заметили, что все реже и реже прибегаете к дополнительным усилиям, чтобы добиться желаемого. Все, что вы хотите, происходит в вашей жизни как бы само собой. Таковы преимущества освоивших систему ДЭИР перед обычными людьми.

Этих знаний вам должно хватить, чтобы более не испытывать проблем с окружающими, если они у вас были. Отныне окружение занимает по отношению к вам подобающее ему место.

## Заключение

Эта книга в системе ДЭИР побочная, так как функции самой системы значительно шире, чем просто управление окружающими. Как вы понимаете, управление окружающими из главной цели, которую вы преследовали изначально, превратилось лишь в средство решения ваших проблем и осуществления желаний. Если бы я рассматривал вопросы управления всерьез, мне бы не хватило и десятка книг. Понятно, что донести до читателя абсолютно все нет никакой возможности, да и вряд ли нужно. Для подробного обучения существуют курсы. С течением времени вы сами определитесь, что из вышеизложенных методик вам подходит больше, а что меньше. Возможно, вам удастся выработать что-то свое, совершенно новое.

Но в любом случае знания есть знания, и они могут принести в плохих руках вред, а в хороших — пользу. Вы вполне достойны этих знаний хотя бы уже потому, что не склонны подчиняться влияниям энергоинформационных паразитических полей, следуете своим путем — путем собственной эволюции, и если вам нужны знания — ваше право их получить.

Итак, что новое вы открыли для себя, читая эту книгу?

Во-первых, вы узнали, как люди управляются энергоинформационными паразитами, насколько это распространено и как можно вмешаться в это взаимодействие. Ведь именно энергоинформационные паразиты во многом ограничивают действия любого человека. Теперь вы можете не просто противостоять им, но и бороться с самым сложным проявлением активности энергетических паразитических структур — с людьми, действия которых продиктованы влиянием паразитических сущностей. В нашей книге мы подробно разбирали все возможные приемы воздействия на окружающих. Основной акцент, естественно, делался на энергетические приемы — именно они позволяют вам воздействовать четко, быстро и эффективно. Последняя глава, если вы еще не забыли, была посвящена приемам неэнергетическим, второстепенным и менее эффективным, но знать которые тоже не помешает.

Мы изучили пассивные способы управления, которые сводились к получению невербальной информации от окружающих и отсечению их от паразитической среды. Использование этих методов позволяет без необходимости не вмешиваться в происходящее и не тратить лишний раз энергию, приберегая ее для других целей. Мы уделили значительное внимание воздействию на окружающих жесткими импульсами собственной энергетики и после этого перешли к управлению с использованием собственного сознания; изучили применение мыслеформ и программ. Вы научились слушать чужие мысли и непосредственно вмешиваться в сознание оппонента. На мой взгляд, эти знания обеспечивают последователю ДЭИР более чем значительный набор преимуществ перед человеком обыкновенным (не будем забывать, что новый этап энергоинформационного развития и так позволяет вам действовать на совершенно новом уровне и с невероятной эффективностью, — так что методы управления окружающими, пожалуй, для вас что-то вроде второй пушки на танке).

Вам самим, разумеется, придется решать, какое воздействие применять в какой ситуации, но, исходя из нашего опыта, самое сложное, но и самое эффективное воздействие осуществляется при помощи программ. Их большое преимущество заключается еще и в том, что вы получаете возможность совершенствовать людей, живущих рядом, — применяя программы, вы становитесь своего рода ваятелем душ. Используйте же этот дар только во благо!

Вся информация, изложенная в этой книге, позволила вам в очередной раз убедиться в том, насколько велики возможности человека, освоившего систему ДЭИР, если он использует их с умом. Знайте свои слабости и слабости окружающих. Ведь вы понимаете, что физическое увечье — это просто комариный укус по сравнению с рычагами вашего управления.

Но, пожалуй, главное, что я непременно хотел бы подчеркнуть, заключается в следующем. Изучив методику ДЭИР, вы осознали, какое огромное количество факторов воздействует на простого человека. Разумеется, даже вы их видите далеко не все: от силы сотую часть, не больше. Но те, кто вокруг вас, не видят и этого. Они вообще не видят ничего! Поэтому именно вы, а не ваши окружающие способны понять, насколько обычный человек уязвим в своей повседневной жизни. К счастью, вы начали овладение системой ДЭИР, позволяющей освободиться от этой незащищенности.

К настоящему моменту вы представляете собой развитую, цельную натуру, способную управлять окружающими вас людьми. Постарайтесь же применять ваши знания исключительно с пользой для себя и других — собственно, именно поэтому я поместил рассказ об управлении в третью книгу системы ДЭИР. Теперь вы имеете огромное преимущество по сравнению с остальными! Вы знаете и чувствуете, как происходит любого рода воздействие. Там, где обычно люди вступают в конфликт и искренне переживают из-за него, наживают себе болезни, неприятности, ухудшая свою карму, — там вы можете рассмотреть конфликт самодостаточной энергетики социума — энергоинформационных паразитических структур — и пресечь его. Вы подобны зрячему в стране слепых — так не пользуйтесь же беззащитностью слепцов! Ведь вам эти навыки нужны только для обретения собственной свободы пути.

В следующих книгах вас ждет знакомство с методами, позволяющими бросить взгляд на окружающую энергоинформационную реальность. До настоящего момента вы обучались только защите и страховке: именно они нужны были вам на данной переходной фазе развития. Теперь вы вполне готовы к тому, чтобы окончательно перейти на новую ступень. Мы будем заниматься укреплением своей личной энергии до такой степени, чтобы стать намного больше человека: вас перестанет страшить потеря тела, то есть сознательная жизнь после смерти будет вам гарантирована. Вы научитесь видеть свои дальние цели, научитесь слышать Вселенную. Вы научитесь использовать основной инструмент трансформации окружающего мира — чувство веры и сумеете преобразовывать окружающую реальность одним незначительным напряжением мысли — вам достаточно будет лишь одного желания, чтобы все сбывалось наяву.

# Содержание

**ТЕЛ./ФАКС ОТДЕЛА СБЫТА**
**(812) 114-44-70, 114-02-88, 114-47-36**
**E-mail: sales@nprospect.sp.ru, sf@nprospect.sp.ru**

**ОПТОВО-РОЗНИЧНЫЙ МАГАЗИН «Книжный дом „Невский проспект"»**
**С.-Петербург, пр. Обуховской обороны, д. 105, павильон № 37 (ДК им. Крупской)**

## ПРЕДСТАВИТЕЛИ

| | |
|---|---|
| Санкт-Петербург | «Диля» (812) 314-0561 |
| Москва | «Диля» (095) 261-7396 |
| | «Атберг» (095) 973-0810, 973-0086 |
| | «Триэрс» (095) 157-4395 |
| | ООО «Кальмарус» (095) 919-9611, 787-5945; gp2r@gpress.ru; kalmarus@gpress.ru |
| | «Столица-сервис» (095) 916-1882, 917-7070 |
| | «Лабиринт» (095) 932-79-01, 932-79-02, 932-77-85, 932-29-23 |
| | Представитель издательства (095) 998-5972 (только опт) www.bookspb.narod.ru |
| Екатеринбург | «Валео-книга» (3432) 42-0775, 42-5600 |
| Новосибирск | «Топ-Книга» (3832) 36-1026, 36-1027 |
| Ростов-на-Дону | ЧП «Остроменский» (8632) 32-1820 |
| | «Фаэтон» 65-6164 |
| Киев | «Орфей-1» (044) 418-8473, 464-4945, 464-4970 |
| Уфа | «Азия» (3472) 50-3900 |
| Хабаровск | «Мирс» (4212) 22-7124 |
| Казань | «Таис» (8432) 72-3455; 72-2782 |
| Челябинск | «Интерсервис» (3512) 21-3374, 21-3453 |

**КНИГА-ПОЧТОЙ наложенным платежом**
**196240, СПб, а/я 114, «Невский проспект»;**
**тел. (812) 123-33-27**
199397, Санкт-Петербург, а/я 196, ЗАО «Грифъ»; тел. (812) 914-8012
192236, Санкт-Петербург, а/я 300, ЗАО «Ареал»; тел. (812) 268-9093, 268-2297; e-mail: postbook@areal.com.ru

**Верищагин Д. С.**

# ВЛИЯНИЕ

*Система навыков дальнейшего энергоинформационного развития*
### III ступень

Главный редактор *М. В. Смирнова*
Художественный редактор *Р. И. Гриневский*

Лицензия ИД № 03520 от 15 декабря 2000 г.

Подписано в печать 26.09.2002. Гарнитура Miniature.
Формат 84×108$^1$/$_{32}$. Объем 6 печ. л. Печать высокая.
Доп. тираж 20 000 экз. Заказ № 1435.

*Налоговая льгота — общероссийский классификатор продукции*
*ОК-005-93, том 2 — 953000*

Издательская Компания «Невский проспект».
Адрес для писем: 190068, СПб., а/я 625.
Тел. (812) 114-68-46; тел. отдела сбыта (812) 114-02-88, факс (812) 114-44-70.
E-mail: np_red@trade.spb.ru, sales@nprospect.sp.ru, sf@nprospect.sp.ru

Отпечатано с фотоформ в ФГУП «Печатный двор» Министерства РФ
по делам печати, телерадиовещания и средств массовых коммуникаций.
197110, Санкт-Петербург, Чкаловский пр., 15.

# ФИЛИАЛЫ ШКОЛЫ ДЭИР

Абакан(Красноярск) (39022) 40885
Альметьевск (8553) 250979
Ангарск(Иркутск) (3951) 537672
Арзамас (83147) 37967
Архангельск (8182) 266120, 468843
Асино (38241) 21011, 75434
Армавир (86137) 53270
Астрахань (8512) 602433
Ачинск(Красноярск) (39151) 22761, 13276
Барнаул (3852) 344622
Балаково(Саратов) (84570) 45251
Биробиджан (42622) 92602
Братск(Иркутск) (3953) 433438, 378780
Белгород (0722) 338525
Березняки (Пермь) (34242) 17337, 15213
Белорецк (Уфа) (3472) 232858
Бийск(Алтайский Край) (3854) 361340, 251876
Великие Луки (81149) 31117
Верхняя Салда(Сверд. обл) (34345) 22734
Владикавказ (8672) 520121
Владивосток (4232) 259206
Воронеж (0732) 798691
Волгодонск (86392) 20522, 75982
Волгоград (8442) 972907, 972909
Волжский (8443) 313885
Владимир (0922) 363486
Вологда (8172) 792322
Воркута (82151) 70864
Георгиевск (з. 077) 21626
Димитровград(Ульяновск) (84235) 68555, аб.861
Дюртюли(Уфа) (34717) 32829
Екатеринбург (3432) 521425, 615877
Заволжье(Н. Новгород) (83169) 33941
Зеленогорск (Красноярск) (39169) 37191
Игирма (266) 61734
Ижевск (3412) 269260
Иркутск (3952) 334425
Иваново (0932) 232303
Йошкар-Ола (8362) 579224, 643693
Калуга (08433) 22880
Камышлов (Свердл. обл.) (34375) 23257
Казань (8432) 555016, 416415, 553424
Калининград (0112) 450163
Кемерово (3842) 312400

Краснодар (8612) 386308, 384524
Кисловодск (87937) 49042
Комсомольск-на-Амуре (42172) 53432, 21622
Костомукша (81459) 22280
Красноярск (3912) 504433
Кропоткин (86138) 54015
Курск (0712) 506308
Кольчугино (09245) 45611
Киров (8332) 646738, 670158
Курган (3522) 465350 (35222) 59336
Кызыл (респ. Тува) (39422) 39188
Лесосибирск (Красноярск) (39145) 24522
Махачкала (8722) 623400, 620737
Магнитогорск (3519) 324435
Мичуринск (07545) 50655
Майкоп (87722) 76902
Москва (095) 7554159
Мурманск (8152) 377634
Муром (09234) 36429
Набережные Челны (8552) 536593
Надым (34995) 68924
Нальчик (86622) 62102
Нефтекамск (Башкирия) (34713) 8-9023778975, 47478, 41547
Нижний Новгород (8312) , 363589, 444906
пдж. 303030, аб. «Школа ДЭИР»
Новотроицк (Оренбург) (35376) 34681
Невинномыск (86554) 76007
Нижнекамск (8555) 435279
Нижневартовск (3466) 125575
Новосибирск (3832) 110689, 900958
Новороссийск (8617) 259308
Новокузнецк (3843) 574958
Норильск (3919) 444867, 370211, Нягань(Тюмень) (34672) 61107
Омск (3812) 256318
из Омска — 8-22-347061- моб.
Оренбург (3532) 760405
Орел (08622) 56165, 25545
Орск(Оренбург) (35372) 12561
Пермь (3422) 128719, 655852
Пенза (8412) 430147
Петрозаводск (8142) 729867

Петропавловск-
  Камчатский (41522) 61667
Ростов-на-Дону (8632) 258126, 712586
Рубцовск (38557) 45553
Рыбинск(Яросл. обл.) (0855) 273112,
  552990
Рязань (0912) 399368
Салават (34763) 44144
Самара (8462) 502221, 535512
Северодвинск (81842) 18204, 66301,
  8-9217205568
Саратов (8452) 351148, 794484,
  пейд.521000, аб.4312
Саяногорск (Хакассия) (39042) 76162
Саянск (39513) 56075, 53063
Северобайкальск(Ирк. обл.) (39513) 5264,
  2151
Сердобск(Саратов) (84167) 22020
Серов (Екатеринбург) (34315) 21957
Смоленск (08122) 36650
Сочи (8622) 923883
Ставрополь (8652) 260977, 735561
Старый Оскол (0 725) 422529
Стерлитамак (3473) 243013, 202347
Сыктывкар (8212) 494760
Сызрань (84643) 61426
Таганрог (86344) 24923, 25270
Тайшет(Иркутск) (263(2)) 32977, 53539
Тамбов (0752) 516799
Тверь (0822) 337966
Тобольск (34511) 55443
Тольятти (8482) 203779
Томск (3822) 645210-дисп.
(3823) 770015-дисп.(Северск)
Туймазы (Башкортостан) (34712) 76837
Тула (0872) 488506
Тюмень (3452) 333210-дисп.
Улан-Удэ (3012) 430527
Ульяновск (8422) 637702
Усть-Илимск (Иркутск) (39535) 56053
Усть-Джегута (87875) 33976
Уфа (3472) 232858, 8-9023476421
Хабаровск (4212) 349665
Чайковский (34241) 33095
Чебоксары (8352) 414606
Черкесск(Карачаево-
  Черк.) (87822) 74456
местн. (270)
Чита (3022) 926152, 264462
Челябинск (3512) 602548

Шарыпово (Красноярск) (39153) 27141
Элиста (з. 077) 59286
Энгельс(Саратов) (8452) 794484
пейд.521000, аб.4312
Южно-Сахалинск (4242) 798212
Якутск (4112) 434398, 244746
Ярославль (0852) 538291
720600 аб. дэир

## Украина

Винница (10380432) 433427, 462140
Вознесенск
  (Николаев) (103805134) 54912,
  53920
Волноваха(Донецк) (103806244) 41543
Горловка(Донецк) (103806242) 42119
Днепродзержинск (103805692) 68711
Днепропетровск (1038056) 7780311
Донецк (10380622) 3352830
Житомир (10380412) 265215, 265314
Запорожье (10380612) 964779, 347765
Киев (10380044) 2680256
Кривой Рог (10380564) 283045
Кировоград (10380522) 238306, 248703
Константиновка (103806272) 41270
Луганск (10380642) 589174, 528000,
  521029
Луцк (103803322) 711853
Львов (10380322) 760557, 746879
Мелитополь (103806142) 53700
Мариуполь (10380629) 224268, 378230
Николаев (10380512) 433222
Никополь (103805662) 97717
Одесса (10380482) 7430450, 426605,
  236397
Ровно (10380362) 290534, 615226
Севастополь (10380692) 542852
Симферополь (10380652) 233218
Славянск (103806262) 73040
Тернополь (103803557) 53602
Ужгород (103803122) 27865, 26194
Феодосия (103806562) 42472
Харьков (10380572) 357938
Херсон (10380552) 538025
Черкассы (10380472) 644762

## Белоруссия

Витебск (10375212) 226548
Минск (10375172) 306214

**Казахстан**
Алматы (1073272) 271471, 282948
Актау (1073292) 332731
Астана (1073172) 316833
Байконур (10733622) 54523
Балхаш (10731036) 44292
Жесказган (10733102) 741276
Караганда (1073212) 569189
Кокчетав (10731622) 28812
Лениногорск (1073236) 24528
Петропавловск (1073152) 361825
Семипалатинск (1073222) 420170
Талдыкурган (10732822) 52626
Тараз (1073262) 461820
Уральск (1073272) 513512
Усть-Каменогорск (1073232) 286751
Чимкент (1073252) 577215

**Киргизия**
Бишкек (10996312) 511991, 462551
Каракол (109963922) 25559

**Грузия**
Тбилиси (1099532) 723540, 363795

**Латвия**
Рига (10371) 9240110, 7336078, 9447155
Венспилс (10371) 3664470

**Литва**
Вильнюс (10370) 61239834
Клайпеда (103706) 494555

**Молдова**
Кишинев (1030732) 765170
Тирасполь (1037333) 76881

**Нидерланды**
Амстердам (31) 612680871, 647096597

**Узбекистан**
Ташкент (10998712) 680546

**Эстония**
Таллинн (10372) 6355102, м.5517955

**Австралия**
Мельбурн (1061) 883655955

**Болгария**
София (103592) 52611791

**Франция**
Париж (33) 0 619949089

**Германия**
Берлин (30) 9377505
(179) 1129536
(231) 7223550
Дюссельдорф (211) 5145867
(170) 8386670
Нюрнберг (911) 447739
Мюнхен (89) 31402755
Штутгарт (7171) 81772
(172) 1630591-моб.

**Израиль**
Бэр-Шева (8) 9933523
Иерусалим (52) 5831194, 632544
Иерусалим (54) 820515
Тель-Авив 3-6593396, 8-9933523
Хайфа (972) 53415102, 48711298

**Канада**
Торонто (416) 2506560, 3151435
Монреаль (514) 7257015

**Польша**
Ольштен (4889) 5351339

**США**
Нью-Йорк (917) 8037525, (212) 3588686

**Головная организация Школы в Санкт-Петербурге:**
**(812) 595-4142, 346-6885, 346-6886**
**Информацию о филиалах можно узнать на сайте Школы ДЭИР**
**www.deir.org**
**(раздел «Филиалы»)**